Bienve
dans le mo

Ce livre
appartient à :

Salut, c'est Téa ! Oui, Téa Stilton, la sœur de Geronimo Stilton ! Je suis envoyée spéciale à *l'Écho du rongeur*, le journal le plus célèbre de l'île des Souris. J'adore les voyages et l'aventure, et j'aime rencontrer des gens du monde entier !
C'est à Raxford, le collège dont je suis diplômée et où l'on m'a invitée à donner des cours, que j'ai rencontré cinq filles très spéciales : Colette, Nicky, Paméla, Paulina et Violet. Dès le premier instant, elles se sont liées d'une véritable amitié. Et elles ont tant d'affection pour moi qu'elles ont décidé de baptiser leur groupe de mon nom : Téa Sisters (en anglais, cela signifie les « Sœurs de Téa ») ! Ce fut une grande émotion pour moi. Et c'est pour ça que j'ai décidé de raconter leurs aventures. Les assourissantes aventures des...

Colette

Elle a une vraie passion pour les vêtements et les accessoires, surtout roses ! Plus tard, elle aimerait devenir journaliste de mode.

Paulina

Altruiste et solaire, elle aime voyager et fréquenter des gens de tous les pays. Elle a un réel talent pour la technologie et les ordinateurs !

Violet

Elle adore lire et apprendre sans cesse de nouvelles choses. Amatrice de musique classique, elle rêve de devenir un jour une grande violoniste !

Nicky

Originaire d'Australie, elle est passionnée par le sport, l'écologie et la nature. Elle aime vivre au grand air et ne tient pas en place !

Paméla

Mécanicienne accomplie : avec un tournevis, elle répare n'importe quoi ! Elle aime cuisiner, mais pourrait manger de la pizza midi et soir.

Veux-tu devenir une Téa Sister ?

▼

....

J'aime ....

....

....

....

....

....

Texte de Téa Stilton.
*Basé sur une idée originale d'*Elisabetta Dami.
Coordination de Lorenza Bernardi *et* Patrizia Puricelli, *avec la collaboration d'*Alessandra Rossi.
Édition de Red Whale di Katja Centomo *et* Francesco Artibani.
Coordination éditoriale de Flavia Barelli *et* Mariantona Cambareri.
Supervision du texte de Caterina Artibani.
Sujet de Francesco Artibani.
Direction artistique de Iacopo Bruno.
Couverture de Caterina Giorgetti *(dessins) et* Flavio Ferron *(couleurs)*.
Conception graphique de Giovanna Ferraris / theWorldofDOT.
Illustrations des pages de début et de fin de Barbara Pellizzari *(dessins) et* Flavio Ferron *(couleurs)*.
Cartes de Caterina Giorgetti *(dessins) et* Flavio Ferron *(couleurs)*.
Illustrations intérieures de Maria Abagnale, Alessandro Battan, Fabio Bono, Pietro Dichiara, Barbara Di Muzio, Paola Ferrante, Carlo Alberto Fiaschi, Laudia Forcelloni, Maria Rita Gentili, Daniela Geremia, Marco Meloni, Elena Mirulla, Roberta Pierpaoli, Arianna Rea, Federico Volpini *(dessins)*, Tania Boccalini, Giulia Basile, Fabio Bonechi, Ketty Formaggio *et* Micaela Tangorra *(couleurs)*.
*Supervision des dessins d'*Alessandra Dottori.
Dessins de référence de Manuela Razzi.
Graphisme de Paola Cantoni, *avec la collaboration de* Michela Battaglin.
Traduction de Lili Plumedesouris.

www.geronimostilton.com

Ce livre est dédicacé à Stéfania, la fille la plus fashion de L'ÉCHO DU RONGEUR *!*

Pour l'édition originale :
© 2007 Edizioni Piemme S.p.A. - Palazzo Mondadori, Via Mondadori, 1 - 200902, Segrate, Italie
sous le titre *Mistero a Parigi*
International rights © Atlantyca S.p.A. - Via Leopardi, 8 - 20123 Milan, Italie
www.atlantyca.com - contact : foreignrights@atlantyca.it
© 2015 pour la nouvelle édition
Pour l'édition française :
© 2008 et 2017 Albin Michel Jeunesse - 22, rue Huyghens, 75014 Paris
Blog : albinmicheljeunesse.blogspot.com
Loi 49-956 du 16 juillet 1949 sur les publications destinées à la jeunesse
Dépôt légal : premier semestre 2017
N° d'édition : 18066/14
ISBN-13 : 978 2 226 39668 6
Imprimé en France par Pollina s.a. en octobre 2017 - 82522B

Téa Stilton

MYSTÈRE À PARIS

ALBIN MICHEL JEUNESSE

Vous aussi, vous voulez aider les Téa Sisters dans cette nouvelle aventure ? Ce n'est pas difficile. Il suffit de suivre mes indications !

Quand vous verrez cette loupe, faites bien attention : c'est le signal qu'un indice important est caché dans la page.

De temps en temps, nous ferons le point, de manière à ne rien oublier.

Alors, vous êtes prêts ?

LE MYSTÈRE VOUS ATTEND !

DES ROSES POUR TÉA

C'était une de ces CHAUDES matinées de printemps, où l'on sent que l'été est proche. Je profitais du soleil sur ma petite terrasse FLEURIE, tout en arrosant mes plantes. Quelle satisfaction de les voir pousser et s'épanouir !

Les géraniums formaient un nuage rouge et blanc sur le rebord. Contre le mur, les horten-

sias avaient toutes les nuances du lilas et du bleu.

Mon nom est Téa Stilton et je suis la sœur de Geronimo, le célèbre directeur de l'ÉCHO DU RONGEUR. Et moi, je suis l'envoyée spéciale de son journal.

Du coin de l'œil, je remarquai dans la rue une camionnette qui s'arrêtait devant ma porte, mais je n'y prêtai guère d'attention.

Peu de temps après...

Ding-dong ! Ding-dong ! Ding-dong !

C'était la sonnette de la porte d'entrée.

– Il y a quelqu'un ? entendis-je crier d'une voix stridente. S'il y a quelqu'un, ouvrez ! Je ne vais pas rester là toute la journée !

C'était la voix inimitable de **Porphyre Rondouillard**, le facteur de RAXFORD !

Je courus lui ouvrir.

Mais au lieu de Porphyre, ce que je vis devant

moi, c'était un *splendide* rosier en pot qui disait :
– Où je le mets ? Où je le mets ? Alors, où je le mets ?
Je vis deux jambes **nerveuses** dépasser sous le pot et le long nez de Porphyre pointer au milieu des **fleurs**.
– Par ici, Porphyre ! et je le fis entrer.
Je le guidai jusqu'à la terrasse. Il était resté un coin vide qui semblait parfait pour ce splendide rosier.

Qui pouvait bien me l'envoyer ? Je continuais à tourner cette question dans ma tête… Je n'eus pas le temps d'interroger Porphyre, déjà reparti en COURANT attraper le bateau de midi pour l'*Île des Baleines*.

Mais il y avait au milieu des fleurs un billet, qui disait :

Des roses Thé pour notre Téa bien-aimée !
Les Téa Sisters.

– Les chères petites ! m'exclamai-je, *heureuse* d'avoir un signe d'elles.

Je RETOURNAI le billet, pour voir s'il y avait autre

ROSE THÉ

La rose « Thé » est originaire de Chine et fut introduite en Europe en 1800 par la Compagnie des Indes Orientales. Cette rose doit son nom à son parfum, proche en effet de l'arôme du thé. Il existe aujourd'hui de nombreux hybrides de roses Thé, nés de croisements avec d'autres roses.
La première rose Thé hybride de couleur rose fut appelée « La France ».

Téa

chose derrière, et en effet… je trouvai ce message : *« Regarde tes courriels. Nous t'avons envoyé le récit et les photos de notre dernière aventure à Paris ! »*.
Aussitôt, j'allumai mon ORDINATEUR.
Oui, le *courriel* était déjà arrivé.
Je m'installai **confortablement** dans le fauteuil en osier sur ma terrasse et, mon portable sur les genoux, commençai à lire.
Tout avait commencé avec les vacances de printemps…
Dès la première phrase, je compris que je venais de trouver la matière pour un nouveau livre.
Son titre ?

LES VACANCES !

Au Collège de Raxford aussi, le printemps était arrivé. L'AIR, tiède et léger, apportait dans les salles de classe le parfum des figuiers et de l'herbe fraîchement coupée.

Les examens du trimestre, enfin, étaient terminés.

Pour les élèves commençaient deux semaines de vacances. Le moment idéal pour faire un beau voyage !

Les **TÉA SISTERS** (Colette, Nicky, Paméla, PAULINA, Violet) avaient leurs valises déjà prêtes, leurs places réservées dans l'avion. Mais cette fois, elles ne s'en allaient pas quelque part dans le monde résoudre un mystère, elles partaient faire un LOOOOOONG séjour à Paris, chez Colette.

Et Colette, pour une fois, était la seule sans bagage. Elle avait son inséparable sac à main en forme de cœur mais c'était tout. Pourquoi ?

1) Elles allaient chez elle, où elle pouvait compter sur des armoires **PLEINES** de vêtements.

2) À leur arrivée à Paris, elle était décidée à se lancer dans un ***MARATHON*** de shopping !

Les escaliers et les couloirs austères du Collège résonnaient des voix joyeuses des élèves. Même *Octave Encyclopédique de Ratis*, le recteur de Raxford, avait abandonné ses

airs bourrus. Il saluait ses jeunes élèves en SOURIANT :

– Amusez-vous bien et faites un bon voyage !

Le port de l'*Île des Baleines* était plus animé que jamais. Tout le monde devait embarquer pour l'Île des Souris.

Les Téa Sisters aussi.

Et comme le voulait la tradition, pendant que le bateau levait l'ancre, les frères Rondouillard entonnèrent leur *Chanson de l'Heureux Retour.*

Vous connaissez les frères Rondouillard ? Ils appartiennent à l'une des plus *anciennes* familles de l'Île des Baleines !

L'heure est venue de vous souhaiter
un beau voyage,
plein de sourires et de fromages !
Mais plus joyeux encore sera votre retour
car nous vous attendrons nuit et jour,
pour vous offrir du gruyère, des gâteaux,
si vous n'oubliez pas nos cadeaux !

QUE PARIS EST BEAU AU PRINTEMPS !

L'Île des Baleines rapetissait à l'horizon et les cinq amies sentaient grandir en elles l'*émotion* de ce nouveau voyage.

Paméla, Nicky et Paulina n'étaient jamais allées à Paris et elles avaient un grand désir de découvrir la ville.

Violet l'avait visitée toute petite, avec ses parents, et ce souvenir était cher à son cœur. Y revenir aujourd'hui avec ses meilleures amies serait *magnifique*.

Quant à Colette… Paris était *sa* ville ! Et elle était impatiente de servir de GUIDE à ses amies !
Une fois débarquées sur l'Île des Souris, les Téa Sisters se rendirent à l'aéroport de Port-Souris. Après l'enregistrement, elles attendirent tranquillement d'embarquer sur le vol direct pour Paris, en prenant un petit EN-CAS au bar.
Inutile de se précipiter, de s'inquiéter, de s'agiter. Pour la première fois, les Téa Sisters allaient savourer un voyage uniquement de détente.
Enfin… **PRESQUE** uniquement.

LE COMPTOIR D'ENREGISTREMENT

À l'aéroport, avant de monter dans l'avion, le passager doit passer par le comptoir d'enregistrement (en anglais : « check-in »), où l'on vérifie sa réservation et où on lui remet sa carte d'embarquement. Il y dépose ses bagages les plus encombrants, qui voyageront dans la soute de l'avion. Le passager ne peut avoir avec lui qu'un bagage à main.

En effet, dès que l'avion eut décollé, un orage furieux se déchaîna, qui le secoua tout entier.

– Du calme, du calme, du calme, du calme… se répétait Colette dans un murmure.

– Ça va, Coco ? lui demanda Violet, voyant qu'elle était toute pâle.

– **NON-ÇA-NE-VA-PAS-ÇA-NE-VA-PAS-ÇA-NE-VA-PAS-DU-TOUT !!!** lâcha Colette au bord des larmes. Je n'ai pas de parapluie, je vais être trempée, mes cheveux vont friser avec l'humidité et Paris vous paraîtra horrible sous la pluie !

Violet lui sourit et la serra dans ses bras tendrement, en lui caressant les cheveux :

– Après un shampoing, tes cheveux seront encore plus beaux qu'avant, et après la pluie, Paris sera PLUS BEAU QUE JAMAIS !

La prévision de Violet se révéla exacte !

Au moment où l'avion s'apprêtait à atterrir, les nuages s'ouvrirent, et le soleil éclaira comme un phare la ville étincelante sous la pluie, couronnée d'un magnifique arc-en-ciel.

– GÉNIAAAL ! s'écria Paméla, les yeux écarquillés.

– Voilà ce qu'on peut appeler un « arc de triomphe » ! s'exclama Paulina en montrant l'arc-en-ciel.

– Les filles, comme c'est beau ! dit Nicky, tout émue.

Colette sourit, heureuse :

– Paris est vraiment comme moi, cette ville ne renoncerait jamais à un *effet théâtral !*

Paris

L'origine de Paris est très ancienne : sa fondation sur une île de la Seine par des tribus celtes remonte au IIIe siècle av. J.-C. Cette île s'appelait « *Lutèce* » et c'est aujourd'hui l'« *Île de la Cité* ».

Aujourd'hui, Paris est une importante métropole, un centre économique et financier, artistique et culturel de niveau mondial. Sa beauté et l'atmosphère unique qui y règne en font une des villes les plus fascinantes du monde.

TOUT EN HAUT DE LA VILLE !

Colette, en vraie experte des transports parisiens, les conduisit de l'aéroport d'Orly jusqu'au cœur de la ville.
Elles montèrent d'abord dans l'**ORLYBUS**, qui les emmena à la station de métro Denfert-Rochereau. Descendues dans le métro, elles traversèrent tout le centre de Paris avec pas moins de SEIZE arrêts et arrivèrent à la station Abbesses.
En remontant les escaliers du métro pour déboucher enfin à l'air libre dans la lumière de la place, les filles restèrent un peu **DÉSORIENTÉES**. Mais Colette ne leur laissa pas une minute pour s'accoutumer :
– Sac à dos sur les épaules ! Maintenant, on

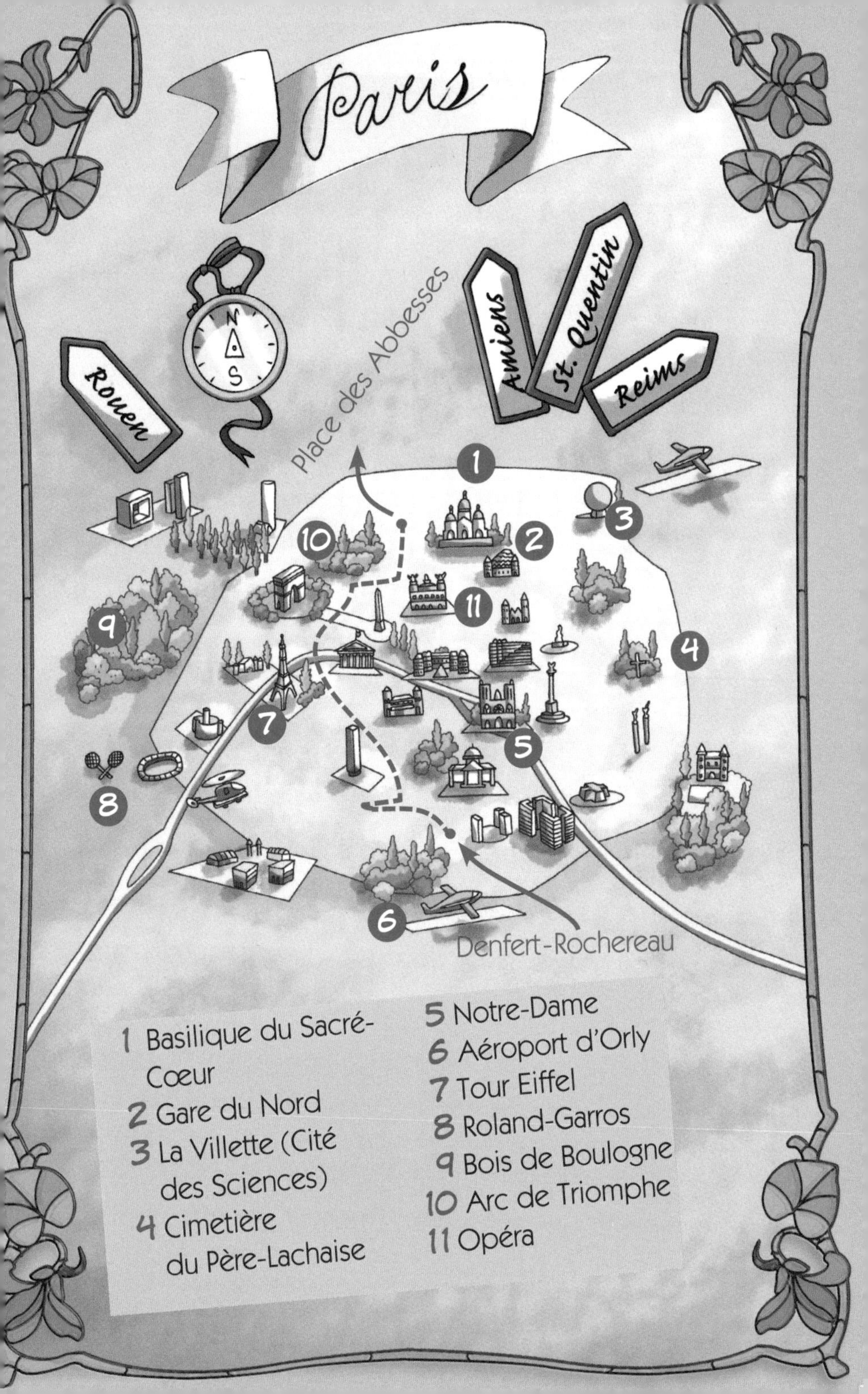
Paris
Rouen
Amiens
St. Quentin
Reims
Place des Abbesses
Denfert-Rochereau
1 Basilique du Sacré-Cœur
2 Gare du Nord
3 La Villette (Cité des Sciences)
4 Cimetière du Père-Lachaise
5 Notre-Dame
6 Aéroport d'Orly
7 Tour Eiffel
8 Roland-Garros
9 Bois de Boulogne
10 Arc de Triomphe
11 Opéra

continue à pied ! ordonna-t-elle à ses amies en SOURIANT.

Il faut savoir que les parents de Colette n'habitent pas Paris, mais Arles, en Provence. Dès le *lycée*, cependant, Colette est venue vivre à Paris, où elle partage un petit appartement avec son amie d'enfance : Julie Chiffon.

Et c'était là que les Téa Sisters allaient devoir « faire du camping » (selon les mots même de Colette !) pendant leurs deux semaines de vacances.

Les filles suivirent une rue qui montait en pente raide puis grimpèrent une rue en escalier, et puis une **AUTRE**, et une **AUTRE ENCORE**.

– Mais où nous emmènes-tu ? En haut de l'HIMALAYA ? protestait Paméla, hors d'haleine.

– Nous sommes sur la *Butte Montmartre,* expliqua Colette. Une « *butte* », c'est comme une colline. Et c'est l'endroit le plus **HAUT** de Paris !

Et c'est alors que, levant les yeux, elles aperçurent tout là-haut, se dressant entre les maisons, la coupole blanche de la Basilique du Sacré-Cœur.

SACRÉ-CŒUR

La Basilique du **Sacré-Cœur** de Montmartre domine le panorama de Paris. Elle doit sa couleur blanche à la pierre calcaire employée pour sa construction, qui commença en 1876 et se termina en 1914.

Elles arrivèrent enfin chez Colette.
C'était un immeuble haut et étroit, qui semblait *ancien*, avec un petit balcon à grille en fer forgé, débordant de roses aux couleurs vives. La porte-fenêtre était couronnée d'un arceau de roses blanches.
– Coco ! cria une voix cristalline au-dessus de leurs têtes.
C'était Julie qui les appelait en faisant de grands gestes pour être vue.
Entre les roses apparaissait une tête blonde avec des cheveux coupés au carré.

La porte de l'immeuble franchie, un autre escalier **TRÈS RAIDE** attendait les filles pour monter jusqu'à l'appartement.

Montmartre

Ces deux quartiers de Paris, Montmartre et Montparnasse, sont situés à deux endroits opposés de la ville. Ils ont été tous les deux, à des époques différentes, au cœur de la vie artistique parisienne.

MONTMARTRE est un nom à l'origine incertaine. Certains pensent qu'il vient de « *Mons Martis* », du nom du dieu Mars, le dieu antique de la guerre. D'autres, en revanche, le font dériver de « *Mons Martyrum* », à cause de martyrs chrétiens qui auraient été sacrifiés à cet endroit. **Montmartre** était un village sur une colline, qui fut absorbé par Paris à la seconde moitié du XIXe siècle. Il devint bien vite un lieu d'attraction pour les peintres, les poètes et les chansonniers. Aujourd'hui encore, sur la *Place du Tertre*, la place centrale de Montmartre, travaillent de nombreux peintres de rue.

PLACE DU TERTRE

Montparnasse

MONTPARNASSE était le surnom utilisé par les étudiants pour désigner une petite hauteur de terre et de détritus, appelée *Parnasse*, qui se trouvait dans cette zone.
Au début du xxe siècle, ce quartier devint le centre de la vie artistique parisienne, quand des groupes de peintres et d'écrivains quittèrent Montmartre, devenu avec le temps un quartier trop cher.
De grands artistes comme **Picasso, Chagall, Modigliani** et **Hemingway** le rendirent célèbre dans le monde entier.
Montparnasse est aujourd'hui un des quartiers les plus modernes de Paris, et la *Tour Maine-Montparnasse* en est le symbole.

TOUR MAINE-MONTPARNASSE

JOLIE JULIE

Colette avait ouvert la porte de l'immeuble à ses amies. Elle les précéda dans l'escalier.
Julie se précipita à leur rencontre :
– Bonjour ! Bienvenue !
Elle serra **FORT** Colette dans ses bras et s'empressa de prendre le gros sac de Paulina :
– Vous avez fait bon voyage ? Vous devez être fatiguées, mes PAUVRES ! Et mortes de faim !
Julie parlait *À TOUTE VITESSE*. Vive, menue comme un moineau, elle fit la **bise** à toutes les filles puis elle les fit entrer dans l'appartement.
Paméla, Violet, Nicky et Paulina étaient épuisées, trop fatiguées pour faire des manières.
Aussitôt dans le salon, elles s'effondrèrent dans

les deux canapés confortables, avec des soupirs de soulagement.

Julie et Colette **DISPARURENT** dans la cuisine, d'où elles revinrent, quelques instants plus tard, avec un plateau chargé de boissons **FRAÎCHES** et de petits toasts au fromage.

– Une petite tartine ? Un jus de fruit ? N'hésitez pas, et ensuite vous vous reposerez. Surtout, faites comme chez vous. Colette et moi, pendant ce temps, nous préparerons le **déjeuner !**

L'appartement était très accueillant et incroyablement lumineux.

Il y avait peu de meubles, beaucoup de tableaux et une splendide composition de **ROSES** sur la petite table du salon.

– C'est vraiment bien, ici ! dit Pam.

– Qui aurait cru que dans un immeuble ANCIEN comme celui-ci on pouvait trouver un appartement aussi moderne et aussi beau ? commenta Paulina.

– On dit que les apparences sont trompeuses, dit Violet. Et c'est bien la preuve que les vieux proverbes ont toujours raison !

Colette, qui revenait de la cuisine, les taquina gentiment :

– Vous arriverez à grimper un escalier de plus ? !

Disant cela, elle appuya sur un bouton dans le mur.

Au plafond se déplaça un panneau, que personne encore n'avait remarqué.

Une trappe s'ouvrit sans le moindre bruit et un escalier en BOIS descendit doucement.

– Wouaouh ! s'exclama Nicky, ébahie. Il y en a encore beaucoup, des pièges de ce genre ?

– Aucun piège ! répondit Colette, en les invitant à monter. C'est ma chambre, là-haut. L'escalier « amovible » permet de gagner de la place !

– *Magnifique* trouvaille ! approuva Paulina, qui fut la première à grimper.

Elle était vraiment très **CURIEUSE**. « Je parie que sa chambre est peinte en *rose* ! » se disait-elle intérieurement.

Quand sa tête arriva au niveau du plancher, Paulina resta sans voix. Comme Paméla, Violet et Nicky après elle.

– **Eh bien** ? Vous ne dites rien ? demanda Colette.

– Nous… nous avons le *SOUFFLE*… coupé…, soupira Paméla.

– … et pas à cause de l'escalier ! ajouta Nicky.

La chambre de Colette était un ENCHANTEMENT !

Elle avait été aménagée dans une mansarde, sous la pente du toit et avec des poutres apparentes.

Le papier qui tapissait les murs était d'un rose très pâle, avec de petites rayures couleur fuchsia. Le lit à baldaquin avait des rideaux légers, d'un rose à peine plus vif.

Le dessus-de-lit, lui, était bleu nuit, avec de minuscules motifs de roses.

Mais le plus EXTRAORDINAIRE c'était la vue qu'on admirait de la fenêtre : un océan de toits et de cheminées à perte de vue, surmonté au fond par les coupoles blanches de la Basilique du *Sacré-Cœur* !

Paris, vu de là-haut, était encore plus magique...

SHOPPING !

Aussitôt après le déjeuner, Julie dut quitter ses nouvelles amies pour courir au STUDIO SOURIÇOT, l'école de mode où elle étudiait pour devenir styliste !

Julie, elle, n'était pas en vacances, bien au contraire ! Car la tradition voulait qu'à la fin de l'année, les futurs diplômés présentent leur propre collection.

Cette année, le défilé final aurait lieu tout simplement… sous la TOUR EIFFEL !

Les ultimes préparatifs se faisaient dans la FRÉNÉSIE et tous les étudiants étaient émus de présenter leur premier défilé. Ils allaient être sous les YEUX de tous les plus célèbres stylistes du monde !
Les TÉA SISTERS avaient prévu, quant à elles, un grand après-midi de promenade à travers la ville.
Elles se dirigèrent d'abord vers le centre de Paris en métro. Colette leur expliquait :
– Paris est traversé par un fleuve, la SEINE. Par commodité, on parle de la « Rive gauche » et de la « Rive droite ». Je propose de commencer notre expédition par la rive gauche !
– Pourquoi ? demanda Violet, un peu DÉÇUE.
Elle savait en effet que le musée du Louvre et la plupart des principaux monuments se trouvaient sur la rive droite. Et elle n'avait qu'une hâte : se lancer dans une belle visite *culturelle !*

– C'est sur la rivc gauche qu'on trouve les *boutiques* les plus jeunes et les plus CRÉATIVES ! Vous allez être étonnées ! répondit Colette.

Et Colette les entraîna dans un vrai tourbillon de shopping !

Sacs, chemisiers, pulls. Shampoings, parfums, bijoux. Jeans, chapeaux, foulards !

Ce fut un après-midi très *agréable*. Même Violet, qui aurait voulu faire le tour des MUSÉES, s'amusa beaucoup.

Soudain, Nicky regarda sa montre et s'écria :

– Les filles ! Vous avez vu l'heure ? Nous avons promis à Julie que nous irions la voir à son école de mode !

Colette sursauta :

– Tu as raison ! J'avais complètement oublié.

Elle regarda autour d'elle avec inquiétude. Puis elle repéra un arrêt de bus.

– Venez ! Nous y serons très vite !

Bijoux
La Maison du Parfum
Gallerie

Au Studio Souriçot

Trouver le Studio Souriçot fut simple, mais trouver Julie à l'intérieur fut beaucoup plus compliqué.
Dès qu'elles eurent mis les pieds dans l'immeuble austère, les filles furent plongées dans un va-et-vient bouillonnant d'étudiants surexcités.

STUDIO SOURIÇOT
HORAIRES DES COURS

8h-9h : Yoga (pour stimuler la créativité).
9h-11h : Dessin de mode.
11h-13h : Cours de couture et applications décoratives (paillettes, appliqués de tissu, broderies, insertion de brocart).
13h-14h : pause-déjeuner biologique.
14h-15h : Histoire de la mode.
16h-17h : Séminaire « Comment trouver une bonne idée de mode ? », sous la direction de M. Souriçot.
17h-18h : Comment organiser un défilé.
Approfondissements.

Tous allaient au pas de **COURSE**, transportaient des objets, faisaient de grands gestes, parlaient très fort dans leur TÉLÉPHONE portable.
Tous connaissaient Julie, mais aucun ne savait où elle était exactement.
Violet remarqua deux filles CHINOISES, identiques l'une à l'autre. C'étaient des jumelles.
Elles avaient une drôle de coupe de cheveux : courts d'un côté et longs de l'autre, une moitié orange et une moitié bleue. Elle leur demanda si elles savaient où était Julie.

– Julie Chiffon ? dit l'une, en tordant le nez vers la gauche.
– Elle est chez la directrice ! répondit l'autre, en tordant le nez vers la droite.
– Il faut toujours qu'elle aille se PLAINDRE de quelque chose, celle-là ! commenta un garçon habillé tout en NOIR, qui passait derrière elles.
– Julie ! s'écria Colette, qui venait de voir son amie sortir de l'ascenseur.
Julie avait l'air tendue, et elle était en compagnie d'un professeur.
L'enseignant lui avait posé la PATTE sur l'épaule et lui parlait avec gentillesse :
– Tu es une des meilleures élèves de cette école, Julie. Il est naturel que certains étudiants soient jaloux. Mais souviens-toi : un talent comme le tien ne doit avoir peur de rien ni de personne !
Puis le professeur lui SOURIT et s'en alla.
– Que se passe-t-il, Julie ? lui demanda Colette avec inquiétude, en venant à sa rencontre.

Pourquoi fais-tu cette tête ? Qui était ce monsieur qui parlait avec toi ?
– Le professeur Hugo Le Blanc, qui enseigne l'HISTOIRE DE LA MODE, répondit son amie. Il est très gentil avec moi. Il essayait de me *remonter* le moral...
– Quel est le problème ? demandèrent en chœur les **TÉA SISTERS**.
– Quelqu'un s'est **INTRODUIT** en

cachette dans mon atelier et a fouillé dans toutes mes affaires. Et ce n'est pas la première fois ! répondit Julie, toute **rouge**.

– On t'a volé quelque chose ? voulut savoir Pam.

– Non ! dit Julie. Du moins, je crois qu'il ne manque rien. Mais ici… ce ne sont pas les choses qui ont de la valeur… ce sont les IDÉES ! Heureusement, j'avais laissé mon ORDINATEUR à la maison ! C'est là que j'ai toutes mes notes et tous mes DESSINS !

CHEZ FLORIAN

– Les filles, la tension du défilé m'a *grillé* le cerveau ! J'ai besoin de me détendre ! s'exclama Julie.
– BRAVO, JULIE ! approuva Colette. Que dirais-tu d'un shampoing ?
– Il vaudrait mieux du thé vert, avec quelques feuilles de JASMIN ! intervint Violet.
– Un shampoing ! Du thé ! s'interposa Paméla. Mais c'est l'heure du dîner ! Tu as besoin de remplir ton estomac, ma fille !
Julie sourit, rassérénée :
– Tu as raison, Pam ! Un petit dîner à la brasserie *Chez Florian,* voilà ce qu'il nous faut !
Elles sortirent du STUDIO SOURIÇOT.

Dehors, le COUCHER DE SOLEIL colorait de rose les toits de Paris.
Elles arrivèrent devant un endroit dont toute la façade était toute fleurie. Partout, des fleurs !
Paméla crut à une plaisanterie :
– Tu veux nous faire manger… **des fleurs ?!** demanda-t-elle en riant.
– *Mais oui !* Bien sûr ! répondit Julie. La cuisine à base de fleurs, c'est la **GRANDE MODE**, à Paris !
Paméla en resta sans voix.
C'était une plaisanterie ?!
Le menu était affiché sur la porte.

Paméla le lut avec attention, mais n'en croyait toujours pas ses yeux.

– Je parie qu'il y a un **JEU** de mots là-dessous, mais je n'arrive pas à voir lequel, chuchota-t-elle à l'oreille de Nicky. C'est impossible de faire du risotto avec des roses !

Elles entrèrent et s'installèrent à une table.

On leur servit bientôt une assiette couverte de *pétales* rouges.

Paméla fut sérieusement tentée de prendre ses jambes à son cou :

– Ce CUISINIER doit avoir les *culbuteurs culbutés* !

Mais comme les autres semblaient manger avec plaisir et qu'elle ne voulait pas vexer Julie, elle ferma les yeux et avala une minuscule portion de riz avec quelques pétales dessus.

– **MAIS C'EST DÉ-LI-CI-EUX !!!** s'écria-t-elle, surprise. Vivent les fleurs !

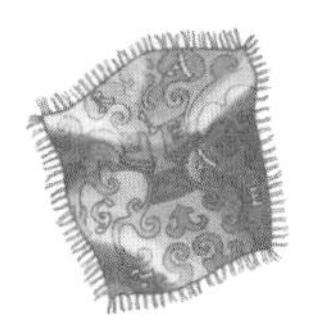

EN PROMENADE SUR LES BORDS DE SEINE

La soirée était tiède et très agréable.

La nourriture excellente et la délicatesse de ses PARFUMS avaient rasséréné aussi Julie.

Se promener au bord de la Seine était un véritable ENCHANTEMENT.

L'eau du fleuve reflétait les LUMIÈRES de la ville, comme un ruban de soie constellé de paillettes.

Julie s'arrêta pour regarder la TOUR EIFFEL illuminée et dit :

– Notre défilé se tiendra sous la Tour Eiffel.

La Seine sépare la ville en deux : la Rive droite et la Rive gauche. Sur la rive droite se trouvent les quartiers du Paris des institutions culturelles et des affaires (le musée du Louvre, la Bourse), tandis que la rive gauche est plutôt le Paris intellectuel (l'université de la Sorbonne, le Quartier Latin). La Seine est traversée par 38 ponts et 3 passerelles, et elle est navigable.

– Génial ! s'cxclama Colette.
– **Fantasouristique** ! fit Nicky en écho.
– Et tu présenteras tes créations ? voulut savoir Paulina.
– Pas seulement moi, précisa Julie, tous les élèves qui sont en dernière année au STUDIO SOURIÇOT. Ça fait partie de l'examen final. Quelle émotion. J'ai intitulé ma collection « Chasse au trésor », expliqua Julie. Le défilé des élèves n'est pas libre, il y a un thème imposé. Cette année, c'est le JEU. Je me suis inspirée d'une vieille carte que j'ai trouvée par hasard...
– ... et c'est pour cette raison que tu as appelé ta collection **CHASSE AU TRÉSOR** ! conclut Paméla, qui ajouta : te voilà en *pole position*, ma fille ! Aucun doute, un blouson qui porte ce nom-là, moi je l'achète tout de suite !
Julie lui SOURIT. Puis elle sortit de son sac un paquet qu'elle tendit à Colette :

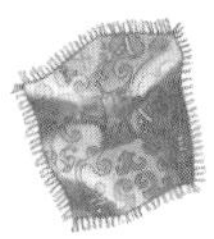

– J'aurais aimé faire un cadeau à chacune de vous, mais… je n'ai pas eu le temps ! Celui-ci est un cadeau pour Coco. Je le lui avais promis depuis longtemps.
– Pour moi ??! s'écria Colette, tout émue.
Colette ouvrit aussitôt le paquet et en sortit un ample châle de soie couleur vieux-rose qui fit son admiration. Avec joie, elle le mit sur ses épaules.

– Mais c'est une **CARTE !** s'exclama Paméla en examinant le motif imprimé sur le tissu.

– Ça représente quoi ? demanda Violet, **INTRIGUÉE**.

– Je ne sais pas... répondit Julie. Comme je vous le disais, j'ai trouvé cette vieille carte à l'intérieur d'un livre et j'ai eu l'idée de l'utiliser pour réaliser mes tissus du défilé de fin d'année !

Voilà peut-être un indice... Une vieille carte mystérieuse reproduite sur les tissus de Julie... Intéressant !

CAMBRIOLAGE... SANS EFFRACTION !

Le lendemain matin, Julie s'en alla très tôt au STUDIO SOURIÇOT.

Pendant le petit déjeuner, chacune des **TÉA SISTERS** proposa une idée différente pour passer la journée.

Violet se présenta avec une liste interminable de MUSÉES à visiter.

Nicky déclara qu'elle avait un besoin urgent de VERDURE. Les rues de Paris étaient très belles, dit-elle, mais elle ne survivrait pas à une autre journée de voitures et d'asphalte. Elle voulait donc aller voir les jardins de la ville.

Colette commenta :

– **Mais comment ça ?** Il nous reste encore toutes les *boutiques* de la rive droite à voir ! Sans parler des GRANDS MAGASINS !

Colette chercha le soutien de Paméla et Paulina, mais la première se plaignit d'avoir les jambes en COTON et la seconde déclara qu'elle avait déjà dépensé toutes les économies de ses vacances.

Ce fut à ce moment-là que SONNA le téléphone. C'était Julie.

– QUOI ? !

Violet, Paméla, Nicky et Paulina se précipitèrent autour de Coco pour tenter de comprendre ce qui

se passait. Mais Colette parlait si vite, répondant par demi-phrases, qu'elles ne comprirent qu'un seul mot : « *cambriolé* ».

– Quelqu'un a été CAMBRIOLÉ, c'est ça ? demanda Paulina à Violet, qui se contenta de hocher la tête d'un air PRÉOCCUPÉ.

Colette raccrocha.

– On a volé la collection de Julie ! Quelqu'un est entré cette nuit à l'intérieur de l'école de mode et a emporté tous ses vêtements pour le défilé !

INDICE !

– TOUS ? s'écrièrent d'une même voix Paméla, Nicky et Paulina.

– Seulement les siens ? demanda Violet, ÉTONNÉE.

– Exactement. Tous. Uniquement les vêtements de Julie ! confirma Colette. Et ils n'ont même pas forcé la porte pour entrer !

Nicky s'exclama :

– Vite ! courons retrouver Julie !

Quand elles arrivèrent au Studio Souriçot, la confusion était encore plus grande que la veille. Mais elles ne perdirent pas leur temps, cette fois, à poser des questions.

Violet aperçut de nouveau les jumelles chinoises et leur demanda de les emmener à l'atelier de Julie.

Elles y trouvèrent leur amie, seule et en larmes. À côté d'elle, des cintres désespérément vides.

– Où est la police ? s'informa Colette.

Julie haussa les épaules avec tristesse :

Le voleur n'a pas forcé la porte pour entrer et il n'a pris que les vêtements de Julie, sans toucher à ceux des autres élèves ! Bizarre, vraiment bizarre !

– Les agents ont seulement posé quelques questions et sont repartis aussitôt.
– Déjà ? fit Paméla, ABASOURDIE.
– Ils ont promis d'enquêter ! expliqua Julie. Quelques habits dessinés par une élève, ce n'est pas vraiment un riche butin. La police ne va pas se mettre sur le pied de guerre pour si peu !
– Ah oui ? EXPLOSA Colette. Et ils s'en vont sans interroger personne ? Sans relever les EMPREINTES ? Sans contrôler les alibis de tout le monde ?
Julie leva les yeux avec un triste SOURIRE :
– Tout le monde ? Mais sais-tu seulement combien de personnes il y a, au Studio Souriçot ? Et puis, d'après la police, l'affaire est déjà résolue. Ils disent que c'est une *gaminerie.* « Jalousie entre élèves », voilà ce qu'ils ont dit.
– Écoutez, j'ai une proposition ! intervint Violet. Tout près d'ici, j'ai vu un Salon de thé. Allons-y pour réfléchir ensemble sur l'action à mener RAPIDEMENT.

Mai

Julie fixa Violet d'un regard perplexe :

– Je ne vois pas...

– Si la police ne peut pas le faire, expliqua Violet, c'est nous qui récupérerons ta collection ! Et si nous n'y arrivons pas à temps pour le défilé...

– ... nous ne sommes plus les **TÉA SISTERS !** terminèrent en chœur Paméla, Paulina, Nicky et Colette.

THÉ AU JASMIN

L'arôme parfumé du thé au jasmin réussit à calmer un peu la PAUVRE Julie.

– Partons de l'indice le plus évident… proposa Colette. Le voleur *n'a* **FORCÉ** ni portes ni fenêtres pour entrer !

INDICE !

– Donc, poursuivit Paméla, cette personne avait les clés ou une copie des clés. De plus, elle connaissait les codes pour désactiver le système d'**ALARME !**

Julie acquiesça :

– C'est ce qu'a dit la police. Ils ont dit que ce devait être quelqu'un qui faisait partie du **STUDIO SOURIÇOT**.

– Évidemment ! approuva Violet. Nous ne devons exclure personne.

– En tout cas, les élèves ont un mobile : la jalousie. Mais les autres, les professeurs et les employés ? demanda Nicky.

Colette répondit la première :

– Nous ne pouvons pas savoir si d'autres personnes ont ou non un mobile, puisqu'elles n'ont même pas été interrogées !

– Mais tu as déjà un plan pour les interroger, n'est-ce pas ? dit Violet avec un petit **SOURIRE**.

Colette lui fit un clin d'œil.

– LAISSE-MOI FAIRE !

Tu l'avais compris toi aussi ? Si le voleur n'a pas forcé la porte pour entrer, cela veut dire qu'il avait les clés !

DÉTECTIVE COCO, EN PISTE !

Perruque, lunettes, tailleur bleu, chemisier blanc, sac en bandoulière : Colette, ainsi déguisée, était **méconnaissable !**

Elle fit son entrée dans l'école de mode, un bloc-notes à la PATTE, et commença à se promener partout en quête d'informations.

Il lui suffit de se présenter comme une journaliste pour avoir la collaboration **MAXIMALE** de tous.

Nana Le Sucre lui fit part de ses soupçons à propos de Wei et Mei, les jumelles CHINOISES :
– Ce sont des espionnes ! Tout ce qu'elles savent faire, c'est copier !
Fernand, lui, soupçonnait Nana Le Sucre :
– Elle est jalouse de Julie ! D'ailleurs, elle est JALOUSE de tout le monde, parce qu'elle n'a aucune originalité. Vous avez vu sa collection pour le défilé ? Tout simplement ridicule !

Ramon Paella, un élève espagnol, n'était pas de cet avis :
– Je ne veux accuser personne, mais Fernand ferait n'importe quoi (j'insiste : N'IMPORTE QUOI…) pour que son défilé ait la meilleure note !
L'opinion la plus FANTAISISTE fut justement celle des jumelles chinoises, Wei et Mei :
– Pauvre Julie ! Sa collection était un DÉSASTRE ! dit Wei.
– À notre avis, elle fait croire qu'on la lui a volée parce qu'elle a trop honte ! conclut Mei.

« Sympathique, comme ambiance ! » pensa Colette.

Du coin de l'œil, il lui sembla apercevoir une ombre sur le mur d'en face.

Elle se retourna brusquement, mais vit seulement un rideau qui bougeait devant la porte-fenêtre mal fermée.

TRAVESTISSEMENT BIS !

Pendant ce temps, Paméla et Nicky suivaient une autre PISTE.

Le voleur n'avait peut-être pas emporté les vêtements, mais les avait peut-être cachés quelque part dans l'ÉCOLE DE MODE.

Elles avaient donc décidé de fouiner un peu partout. Déguisées elles aussi…

Elles utilisèrent un STRATAGÈME beaucoup plus simple que celui de Colette : deux tabliers, un balai et un seau leur suffirent pour se faire passer pour des femmes de ménage.
Personne ne S'ÉTONNA de les voir entrer dans les ateliers et les laboratoires pour y vider les corbeilles à papier. Tout au plus pouvait-on admirer le soin qu'elles mettaient à nettoyer jusque dans les recoins les plus cachés.
Elles purent ainsi voir les collections des autres élèves.
Fernand avait créé des vêtements « à monter », comme un jeu de construction. Ramon Paella avait dessiné des scaphandres, qui convenaient mieux à des robots

qu'à des mannequins en chair et en OS. Nana Le Sucre s'était inspirée des SUPER-HEROS : ce n'étaient qu'envol de capes et combinaisons adhérentes multicolores. Enfin, les jumelles Wei et Mei avaient réalisé des vêtements en papier à découper.

– JOLI ! dit Nicky.

– Oui… en papier… Mais s'il pleut ?! Bah… de toute façon, je n'aime pas du tout ! C'est trop, bien trop bizarre…

EN BALADE SUR LES GRANDS BOULEVARDS

Violet et Paulina s'étaient proposées pour distraire Julie pendant que les autres enquêtaient. Elles lui avaient demandé de leur servir de guide dans les rues de Paris.

Mais elles évitèrent soigneusement les boutiques de vêtements et tout ce qui aurait pu rappeler à Julie sa collection disparue.

LES GRANDS BOULEVARDS

À la moitié du XIXe siècle, Paris ressemblait encore à une cité médiévale, aux ruelles étroites et encombrées. Ce fut l'urbaniste **Georges-Eugène Haussmann** qui, sur ordre de l'empereur Napoléon III, donna à la ville le visage qu'elle présente aujourd'hui. Il réalisa un vaste programme de démolition et de transformation de l'ancien cœur de la ville. Certaines rues furent élargies et devinrent ce qu'on appelle les « Grands Boulevards », qui ont contribué à faire la renommée de Paris à l'étranger.

Mais quand elles arrivèrent sur les quais de la Seine devant les étals chargés de livres des bouquinistes, les yeux de Julie se remplirent de larmes.

– Qu'y a-t-il, Julie ? lui demanda Paulina avec **INQUIÉTUDE**.

– Excusez-moi ! dit Julie. Je sais que je suis idiote. Mais c'est que cet endroit me fait penser à ma collection.

– Et pourquoi donc ? voulut savoir Violet.

– C'est ici que j'ai trouvé la **CARTE** ! expliqua Julie. Celle qui m'a donné l'idée de ma collection « Chasse au trésor ». Un matin, j'étais venue

ici chercher l'inspiration. Ces *vieux* livres m'ont toujours fascinée. Je me disais : « Qui sait ? Je trouverai peut-être ici quelque chose qui me donnera une idée originale ! »

– Et en effet, tu l'as trouvé ! dit Paulina.

– Mais ce n'était pas dans un livre de jeux d'autrefois, répondit Julie. C'était dans un vieil ouvrage sur les costumes de THÉÂTRE. Je l'ai acheté sans vraiment réfléchir ! Je ne sais même pas pourquoi.

– Et c'est à l'intérieur que tu as trouvé la carte ? demanda Violet.

– Oui ! Un vrai coup de CHANCE ! Mais je ne l'ai pas vue tout de suite. Après avoir acheté le livre, je suis rentrée chez moi, toute contente de mon acquisition. Je me suis assise tout de suite dans le canapé pour le feuilleter. Et c'est alors que je me suis aperçue

qu'une feuille était tombée. En la ramassant, j'ai vu dessus un étrange DESSIN. Il ne m'a pas fallu longtemps pour comprendre qu'il s'agissait d'une carte !

Au Bois de Boulogne

Les filles s'étaient donné rendez-vous pour le DÉJEUNER dans le grand PARC du Bois de Boulogne, afin de faire le point sur la situation.

Ce jour-là, il faisait si CHAUD qu'on se serait cru déjà en été.

LE BOIS DE BOULOGNE

Après avoir visité les jardins de Hyde Park, à Londres, l'empereur **Napoléon III**, à son retour en France, voulut que Paris ait lui aussi un parc extraordinaire. Entre 1852 et 1870, à partir des plans d'Alphand, Davioud et Barillet-Deschamps, naquit ainsi, à l'emplacement de l'ancienne forêt du Rouvre, le Bois de Boulogne, un parc qui s'étend sur 845 hectares (soit l'équivalent de 1 200 terrains de football), avec des lacs, et 95 km de routes et d'allées.

Elles décidèrent donc d'improviser un pique-nique au bord du PETIT LAC.

Julie, Violet et Paulina étaient anxieuses de connaître les dernières nouvelles.
Malheureusement, celles que leur apportaient leurs amies n'étaient nullement encourageantes : elles n'avaient rien découvert d'intéressant.
– Ce pourrait être n'importe lequel de tes camarades de cours, dit Colette. Aucun n'a un alibi qui tienne !

– Quand il y a trop de suspects, c'est comme s'il n'y en avait aucun ! Ce n'est pas de cette façon que nous pourrons avancer, conclut Paulina TRISTEMENT.

Aussi bizarre que ce soit, la moins déçue de toutes semblait être Julie :

– La journée est trop *belle* pour parler de choses tristes. Profitons de ce **PIQUE-NIQUE** ! Nous réfléchirons plus tard à une solution !

Paméla décida de louer une barque, et elle entraîna Violet et Paulina faire le tour du PETIT LAC à la rame.

Nicky fit amitié avec un groupe de jeunes qui se promenaient à cheval dans le Bois et se joignit à eux.

Julie et Colette passèrent tout l'après-midi au soleil, étendues dans l'herbe, à évoquer les années heureuses de l'école et toutes les

aventures bizarres et amusantes qu'elles avaient vécues ensemble.
Mais aucune ne s'aperçut que non loin de là, bien caché, quelqu'un les épiait...

INDICE !

Quelqu'un est en train d'épier les Téa Sisters.
Peux-tu dire où il se cache ?
La solution se trouve à la fin du « Journal à dix pattes » !

VOL... AVEC EFFRACTION !

Les filles passèrent la soirée dans une pizzeria, et quand elles rentrèrent chez Julie, il faisait nuit.

Mais à leur arrivée, une VILAINE surprise les attendait.

Aussitôt arrivées dans le salon, elles remarquèrent que la fenêtre était ouverte et qu'un carreau était **CASSÉ**.

L'ordinateur de Julie avait disparu !

Elles n'eurent cependant le temps de

rien faire, car à ce moment précis...

CRAAASH !!!

... un bruit les fit sursauter.

– Le voleur ! cria Colette, en se précipitant pour regarder dans la rue.

Elle vit une ombre S'ENFUIR dans les escaliers de la rue.

– Mon ORDINATEUR ! hurla Julie en apercevant son portable en miettes sur la chaussée.

– Il a dû glisser des

PATTES du voleur pendant qu'il s'enfuyait ! s'exclama Paulina.

Les **TÉA SISTERS** coururent dans la rue pour récupérer ce qu'il restait de l'ordinateur.

– Mille mimolettes moisies ! explosa Paméla. Ça ne lui a donc pas suffi de voler les vêtements ? Il voulait aussi ton ordinateur !

Julie était vraiment brisée… vraiment. Comme son ORDINATEUR !

Pendant qu'elles remontaient à l'appartement, Violet dit :

– Maintenant, nous savons ce que le voleur cherche. Il a volé la collection de Julie, mais il est évident qu'il ne cherchait pas seulement les vêtements mais *quelque chose d'autre*, qui a un lien avec les vêtements ! *Mais quoi ?*

INDICE !

– Oui, quoi ? demanda Colette en écho.

Violet resta quelques instants pensive… mais bien vite son regard S'ÉCLAIRA.

– Pourquoi ne l'ai-je pas compris tout de suite ?

s'exclama Violet avec un **SOURIRE**. La carte !

– La **CARTE ?!** répétèrent Paméla, Paulina, Nicky et Colette en chœur.

– Violet a raison ! La carte ! s'exclama Julie avec conviction.

QUE DIRIEZ-VOUS DE FAIRE LE POINT SUR LA SITUATION ?

1) La collection de vêtements de Julie Chiffon a été volée dans les locaux du Studio Souriçot.
2) Le voleur n'a pris que les vêtements de Julie : preuve que ceux des autres étudiants ne l'intéressaient pas !
3) Le voleur n'a laissé aucune trace d'effraction car il est entré avec une clé. C'est donc quelqu'un qui fréquente l'école.
4) Le voleur a essayé de voler aussi l'ordinateur de Julie : peut-être n'avait-il pas trouvé dans les vêtements ce qu'il cherchait ? Mais alors, que cherchait-il ?

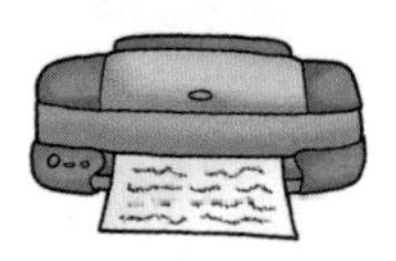

VIEILLES CARTES, NOUVELLES TECHNOLOGIES !

– J'AI COMPRIS !!! poursuivit Julie, qui réussissait enfin à y voir clair dans cette affaire embrouillée. D'abord, le voleur a **fouillé** dans mon atelier. Il cherchait la carte, mais il ne l'a pas trouvée. Alors il a décidé de voler ma collection, pour reconstituer la carte en mettant les vêtements les uns à côté des autres…
– Mais alors, pourquoi a-t-il voulu voler *aussi* ton ORDINATEUR ? demanda Paméla.
Violet intervint :
– Parce qu'il espérait y trouver une reproduction de la carte dans un fichier (sous forme de document informatique, donc) ! En effet, la carte, reconstituée à partir des vêtements, n'était pas complète. Il manquait le dernier vêtement !

Julie comprit aussitôt, et elle alla chercher le châle qu'elle avait offert à Colette.
– Bien sûr ! Il manquait cette **PIÈCE-LÀ** ! Le voleur ne pouvait pas savoir que je te l'avais donnée ! Sans ce dernier morceau, la **CARTE** ne lui servait à rien, elle était incomplète !
– Donc le voleur espérait que Julie avait MÉMORISÉ dans son ordinateur une copie de la carte, conclut Paulina.
– Et c'est le cas. Malheureusement, maintenant que mon ordinateur est en miettes, ni le voleur ni moi n'avons cette carte !
Paulina la regarda, incrédule :
– Ne me dis pas que *tu n'as pas fait* de copie de la carte sur un **CD** !

LES CONSEILS DE PAULINA

DVD

CLÉ USB

Vous avez vu ? Il suffit d'un simple problème de matériel ou d'une coupure de courant soudaine pour que vous perdiez tout votre travail sur l'ordinateur ! C'est pourquoi il faut toujours le « sauvegarder », c'est-à-dire l'enregistrer sur votre ordinateur !
Par précaution, vous pouvez aussi en faire une copie sur un **CD-rom**, sur un **DVD** ou encore sur une **clé USB,** un support encore plus petit et plus pratique pour mémoriser des données.

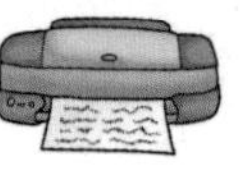

Julie ouvrit les bras :

– Aucune copie.

– Et la carte originale ? demanda Violet, s'accrochant à un dernier brin d'espoir.

– Perdue. Elle s'est abîmée pendant que je travaillais à la collection et elle était devenue illisible...

Colette étendit le châle sur la table.

– Qu'est-ce que ça représente ? demanda Nicky.

Julie hocha la tête :

– Je n'en ai aucune idée.

Paméla hasarda :

– Un labyrinthe ?

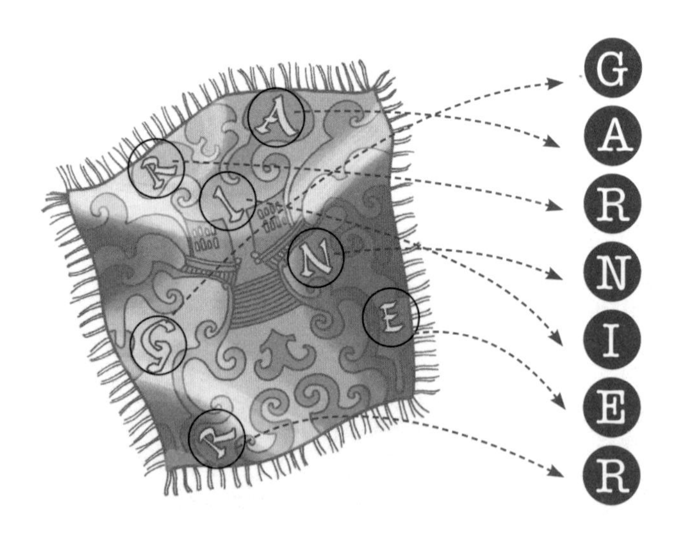

Colette s'exclama :

– Regardez ! Ces lettres, éparpillées ici et là : si on les met dans le bon ordre, elles forment un *mot !*

Julie **bondit** sur ses pieds, comme actionnée par un ressort :

– G-a-r-n-i-e-r ! J'ai compris, les filles ! Les lettres forment le mot *Garnier* !

Le *Palais Garnier,* autrement dit l'*Opéra* de Paris ! Alors, cela veut dire que la carte reproduit le plan du

THÉÂTRE DE L'OPÉRA !

Et pour confirmer son hypothèse, elle courut chercher le **livre** dans lequel elle avait trouvé la carte et en montra la couverture à ses amies. Son titre était : « OPÉRA – DEUX SIÈCLES DE COSTUMES DE SCÈNE ».

Julie commença à feuilleter le livre devant les Téa Sisters : c'était un ouvrage **ancien**, avec de *précieuses*

reproductions de costumes de scène du XIXe siècle.
– C'est un recueil des costumes de scène des plus célèbres représentations !
Pendant ce temps, Paulina était restée assise sur le canapé et consultait son ordinateur de poche. Tout à coup, elle demanda à Julie si elle pouvait utiliser son imprimante.
– Qu'est-ce que tu as trouvé ? demanda Paméla.
– Tu vas voir ! répondit Paulina en branchant des fiches et des fils.
DZZZZZ... une feuille sortit de l'imprimante.
Les filles s'écrièrent toutes ensemble :
– Mais c'est la **CARTE !**
Paulina secoua la tête :
– Non ! C'est seulement le plan du Théâtre de l'Opéra. Si vraiment la carte reproduisait le plan du bâtiment, nous devrions trouver des correspondances avec ce que Julie a reproduit sur le châle de Colette !!
Ce fut Violet qui, la première, pointa le doigt sur le châle.

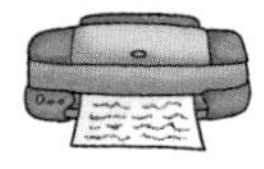

– J'ai trouvé ! Voilà l'escalier d'honneur. Il est unique, impossible de se tromper ! Regardez, regardez vous aussi !

Les filles se penchèrent à leur tour pour comparer : *châle de Colette d'un côté, plan de l'Opéra de l'autre…*

C'était évident ! Le **châle** de Colette reproduisait le Grand Escalier de l'Opéra Garnier !

Cela ne pouvait signifier qu'une seule chose : la carte trouvée dans le livre menait à un trésor caché dans les souterrains de l'Opéra !

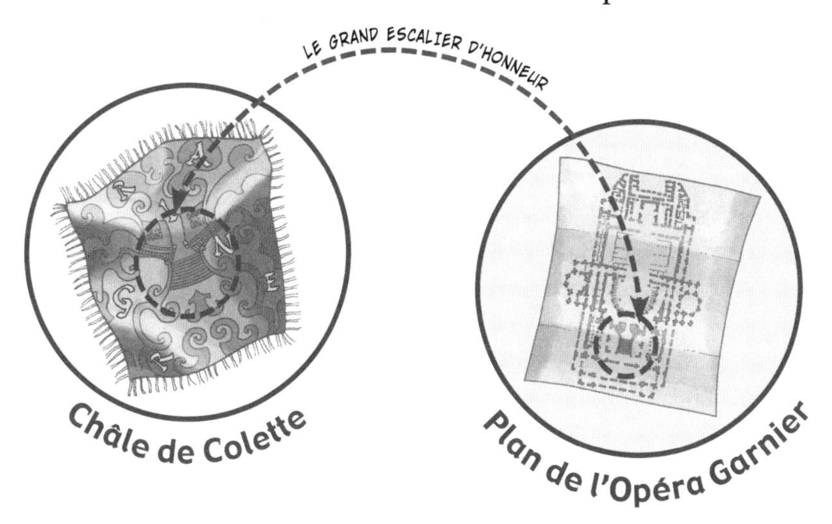

Théâtre de l'Opéra

THÉÂTRE DE L'OPÉRA

La construction du Théâtre de l'Opéra de Paris fut décidée par Napoléon III, dans le cadre des grands travaux de modernisation de la capitale, confiés à l'urbaniste Georges-Eugène Haussmann. Le concours d'architecture fut remporté par Charles Garnier, jeune architecte inconnu qui avait alors 32 ans.

La nef qui contient le Grand Escalier est un des endroits les plus célèbres de l'Opéra Garnier. Cet escalier a été construit en marbre de couleurs et de types différents provenant de toutes les carrières de France.

LE GRAND ESCALIER

(Palais Garnier)

Les travaux commencèrent en 1860 et se prolongèrent pendant quinze ans, à cause des interruptions dues à la guerre contre la Prusse en 1870 et à la chute du Second Empire. Le théâtre fut inauguré le 15 janvier 1875.

LE GRAND FOYER

Dans un théâtre, le « foyer » est l'endroit le plus proche de la salle où se déroule le spectacle. C'est un espace où il est possible de se détendre et de converser avant le spectacle ou pendant l'entracte.

LE GRAND FOYER

L'architecte Garnier, avant de concevoir le projet de l'Opéra, voyagea à travers toute l'Europe et visita les théâtres les plus célèbres. Pour la salle de théâtre et pour la scène, il ne s'écarta pas des modèles traditionnels, mais il fut beaucoup plus novateur pour le foyer. Au XIXe siècle, la norme était de séparer le public selon les classes sociales, et chaque étage disposait de son propre foyer. Garnier abolit ces divisions et créa un foyer unique, ouvert à l'ensemble du public, sans distinction de classe.

CHASSE AU TRÉSOR !

Paméla était tout *émue* :

– Si cette carte est si importante pour le voleur, cela signifie sûrement qu'elle mène à un **TRÈÈÈS** gros trésor !

Nicky reconnut :

– Tu as peut-être raison ! Mais ce qui est certain, c'est que le voleur ne pourra pas le trouver, tant qu'il n'aura pas la **CARTE** complète.

– Et si le voleur venait à savoir que le châle de Colette est la dernière pièce du **PUZZLE** ? suggéra Violet.

Colette écarquilla les yeux, comprenant au vol le plan de Violet.

– **Non-non-non-non-et-non-il-n'en-est-pas-question** ! cria Colette, serrant son châle contre elle. Je ne

sais pas quel est ton plan, Vivi, mais pas question qu'on touche à mon châle !
Elle lança un COUP D'OEIL mauvais à Violet, mais son regard rencontra celui de Julie, et elle expliqua :
– Si le voleur me volait mon châle aussi ? Je ne veux pas m'en séparer !

– J'y mettrai une puce, dit Paulina, de plus en plus déterminée et sûre de son fait.

– Une puce ? répéta Paméla avec une grimace de dégoût.

Pam a horreur des insectes !

– Je veux dire une PUCE ANTIVOL ! expliqua Paulina. C'est un objet minuscule qui, lorsqu'il est relié à un ordinateur, comme par exemple mon ordinateur de poche, est capable d'indiquer constamment l'endroit où il se trouve.

Colette commença à s'intéresser au plan.

– **Et alors ?**

Paulina poursuivit :

– Et alors, si nous fixons la puce sur le châle et si nous faisons en sorte que le voleur s'en empare, nous serons en mesure de savoir où il se trouve, en suivant le signal sur mon ORDINATEUR DE POCHE !

– Et le voleur ne s'en apercevrait pas ? demanda Colette.

– Si c'est quelque chose de vraiment minuscule, je

peux le coudre moi-même dans l'ourlet du châle ! intervint Julie.
Paulina acquiesça :
– Ça peut marcher !
Puis elle regarda Colette et dit :
– Tu es d'accord, Colette ? Tu peux sacrifier ton châle ?
Colette regarda Julie et SOURIT.
– Bien sûr ! Je ferais n'importe quoi pour mon amie ! Dans quelques jours, ce sera le défilé et nous devons absolument retrouver les vêtements de la collection de Julie !

Le piège à voleur !

Le plan des **TÉA SISTERS** était en place !
Le lendemain matin, Colette fit une entrée triomphale au **STUDIO SOURIÇOT**.
Elle portait le châle de soie rose et voulait que tout le monde le voie. Surtout le voleur !

Avançant au pas de charge, elle se dirigea vers le SECRÉTARIAT de l'école et demanda à parler avec la directrice à propos du défilé de fin d'année.
La DIRECTRICE l'orienta vers l'enseignant chargé de suivre cette initiative : le professeur Hugo Le Blanc.
Avec son châle qui *ondoyait* sur ses épaules, Colette repartit à la recherche d'Hugo Le Blanc, et traversa de bout en bout l'école de mode.
Le châle que Colette portait attirait tous les **REGARDS** des élèves et des enseignants.
Si le voleur était dans la maison (comme les Téa Sisters le soupçonnaient), il n'allait pas tarder à agir.
Le professeur Le Blanc fit son entrée dans le Studio Souriçot exactement à ce moment-là. Colette, sans perdre de temps, **COURUT** à sa rencontre, en l'appelant d'une voix forte afin que tous puissent l'entendre :
– Professeur ! Professeur ! Je m'appelle

Colette et je suis une amie de Julie Chiffon !
Le professeur la regarda en SOURIANT :
– Que puis-je pour vous ?
– Je veux défiler avec ce châle ! répondit Colette en parlant fort, avec une pirouette sur elle-même pour attirer l'attention. C'est Julie qui l'a fait ! Il fait partie de la collection « CHASSE AU TRÉSOR ». C'est la seule pièce que le voleur n'a pas pu prendre, *car c'est moi qui l'avais* !
Tous restèrent là, bouche bée, à regarder Colette.
Le Blanc lui-même paraissait frappé :
– Alors, il est évident que vous devez défiler ! Donnez-le moi !
Colette RECULA avec décision :
– Impossible ! Ce châle est à moi. Julie me l'a offert. Je le porterai moi-même pour le défilé ! Il y a trop de voleurs ici et je ne serais pas rassurée de le laisser. Je ne m'en séparerai pas !

Le professeur Le Blanc était PERPLEXE :

– Je crains que ce ne soit pas autorisé. Il y a des règles et…

Mais il ne put pas finir sa phrase, car Colette marchait déjà vers la sortie :

– Alors, c'est hors de question ! Je ne veux pas courir le risque qu'on me le vole !

Julie et les TÉA SISTERS étaient restées pendant tout ce temps cachées dans un café en face du Studio Souriçot, le nez collé à la vitre.

Quand elles virent Colette sortir d'un air dédaigneux, elles eurent un frémissement.

Une petite foule vint se masser devant le portail de l'école, suivant du regard Colette qui s'éloignait.

–Tope là, ma sœur ! s'exclama Pam, enthousiaste, frappant du plat de sa patte la paume de Julie. Notre Coco est vraiment une ***actrice*** née !

– Bien, le piège est en place ! dit Violet, d'un ton TRÈS SÉRIEUX. Maintenant, il ne faut plus perdre Colette de vue ! Si le voleur était là et s'il a mordu à l'hameçon… c'est maintenant qu'il agira !

Les Grands Magasins

À ce moment-là de leur plan, Colette devait **improviser**.

En effet, les filles ne pouvaient pas savoir *quand*, *où*, et ni même *si* le **VOLEUR** frapperait. C'était à Coco de faire en sorte que le voleur trouve une occasion favorable pour lui voler son châle.

Mais il ne devait surtout pas s'apercevoir que c'était un **PIÈGE** !

Colette en avait des sueurs **FROIDES**. Où aller ?

Elle décida de suivre son instinct.

Et l'instinct de Colette lui conseilla d'aller vers les Grands Magasins. Là-bas, il y aurait une grande **foule** : l'endroit idéal pour voler (ou mieux : *se faire voler*…) quelque chose !

Pam n'en croyait pas ses YEUX, quand elle vit Colette y entrer :

– Que fait-elle ? Elle entre dans les Grands Magasins ? Au milieu de tout ce monde, nous allons sûrement la perdre !

– Non, si nous restons sur nos gardes… répliqua Violet.

Colette pendant ce temps, était montée par l'escalier roulant. Impossible de comprendre si quelqu'un, parmi tous ces clients, était en train de la suivre.

Les Téa Sisters ne perdaient pas Colette des yeux.

– Elle va au rayon habillement ! remarqua Paulina.

AIDE LES TÉA SISTERS À TROUVER LE VOL

JULIE ET LES TÉA SISTERS NE L'ONT PAS ENCORE REPÉRÉ.
ET TOI, RÉUSSIS-TU À VOIR OÙ EST LE VOLEUR ?

LA SOLUTION SE TROUVE À LA FIN DU « JOURNAL À DIX PATTES ».

– Comme c'est BIZARRE ! plaisanta Paméla. J'aurais parié que Colette se précipiterait au rayon bricolage !

Malgré la tension de ce moment, Colette n'arrivait pas à s'empêcher de jeter un coup d'œil aux NOUVEAUX arrivages de la saison !

« **Quel amour** », pensa-t-elle, en apercevant un chemisier rose.

Puis elle se souvint qu'elle était là pour se faire voler le châle…

« Mais bien sûr ! se dit-elle alors. Le mieux est de

faire semblant de faire du shopping ! » Elle avait trouvé la solution.

Colette s'assura que les **TÉA SISTERS** étaient dans les parages. Puis elle se glissa dans une cabine d'essayage et posa le châle sur le dessus de la porte, de façon que n'importe qui puisse le prendre de l'extérieur.

Elle n'eut pas à attendre longtemps. Un instant plus tôt, le châle était là, et l'instant d'après il avait **DISPARU !**

Les Téa Sisters virent un rongeur en imperméable, grosses lunettes noires et grand chapeau,

qui **s'éloignait** en courant, un cartable à la patte.

Qui que ce soit, impossible de le **RECONNAÎTRE**...

Les Téa Sisters **S'ÉLANCÈRENT** immédiatement pour le suivre.

HORS D'HALEINE !

Elles se **PRÉCIPITÈRENT** toutes vers la sortie des Grands Magasins. Mais le voleur était plus rapide qu'elles ne l'auraient cru.

Violet hurla :

– Il se dirige vers la SEINE !

Julie dit :

– De ce côté-là, il y a le pont Alexandre III. Il veut peut-être aller sur la rive opposée !

La poursuite leur coupait le souffle et elles craignirent, pendant un instant, d'avoir perdu le voleur de VUE.

Elles se trouvaient dans un espace ouvert, avec peu d'immeubles, et pourtant il semblait s'être évanoui. Il n'était pas monté sur le pont qui s'ouvrait devant elles. Mais elles ne le voyaient pas non plus dans la **RUE**, ni à droite, ni à gauche.

– Les marches! cria Colette, en montrant deux petits escaliers de chaque côté du pont, qui descendaient vers les quais de la Seine.

Nicky se pencha par-dessus le parapet :

– LE VOILÀ !

Elles le virent juste à temps, au moment où il sautait à bord d'un canot à moteur et s'éloignait à toute **VITESSE**.

– Nous l'avons perdu ! se lamenta Paulina. La « puce » ne couvre pas les trop grandes distances.

Mais Colette n'était pas prête à abandonner, elle était même déjà en train de COURIR :
– Là-bas, il y a un endroit où on peut louer des barques et des canots ! Nous avons encore un espoir !

POURSUITE SUR LA SEINE !

Elles n'avaient jamais vu Colette aussi décidée ! En deux secondes, elles louèrent un canot à moteur et se lancèrent dans la poursuite, avec Colette à la barre.

Violet, debout près de Colette, donnait des instructions :

– ATTENTION à la péniche sur la droite ! Il a dépassé le pont de l'Alma !

– Où crois-tu qu'il se DIRIGE ? demanda Paméla à Julie.

– Je n'en ai aucune IDÉE ! répondit celle-ci.

Pont de l'Alma, passerelle Debilly, pont d'Iéna : les ponts défilaient, mais la distance entre les deux canots restait inchangée.

Au pont de Bir-Hakeim, une île LONGUE

et étroite séparait la Seine en deux bras. Colette fut obligée de ralentir, pour prendre le bras de droite.

À un moment donné, devant elles, surgit… la Statue de la liberté ?!?

– Mais que fait-elle ici, la Statue de la Liberté ? s'écria Paulina, ÉBAHIE de voir apparaître à la pointe de l'îlot une reproduction à échelle réduite de la célèbre statue américaine.

Mais le cri de Paulina fut recouvert par celui de Colette :

– Il tourne à gauche ! Il revient en arrière !

– Il veut me semer ! hurla Colette.

Elle amorça elle aussi son virage, mais dut laisser le passage à une barge qui remontait la Seine.

– Adieu le châle ! soupira Nicky.

– Ne parle pas si vite ! la corrigea Paulina, en sortant son petit ORDINATEUR DE POCHE. Nous allons voir maintenant si la puce, l'antivol que nous avons cousu dans l'ourlet du châle, fonctionne. L'important, c'est qu'il ne nous distance pas trop !

STATUE DE LA LIBERTÉ

Du pont de Grenelle, qui passe au-dessus de l'Île des Cygnes, on voit une Statue de la Liberté. C'est une version miniature de la célèbre Statue de la Liberté de New York. Elle fut offerte à la ville de Paris par les Américains qui résidaient en France, en 1889. La statue originale, elle, fut offerte par la France aux États-Unis pour fêter le centenaire de l'Indépendance américaine. Elle fut, en effet, inaugurée en 1886.

Sur l'écran minuscule apparut un trait stylisé représentant la Seine, sur lequel se déplaçait rapidement un **petit point rouge**.

– Je l'ai ! dit Paulina d'un ton satisfait.

– Vivent les puces ! s'écria Paméla.

UN PETIT POINT ROUGE SUR L'ÉCRAN

Le **petit point rouge** sur l'écran de l'ordinateur de poche s'arrêta brusquement.
– Il est descendu du canot, avertit Paulina.
– Où exactement ? demanda Colette.
– Sur la rive droite ! Il se dirige vers la Place de la Concorde !
Colette, par une manœuvre RAPIDE et décidée, accosta à son tour sur la rive droite.
Toutes descendirent et se mirent à COURIR à la poursuite du voleur.
– Il vient de prendre la rue Royale ! hurla Paulina, qui ne quittait pas son écran des YEUX.

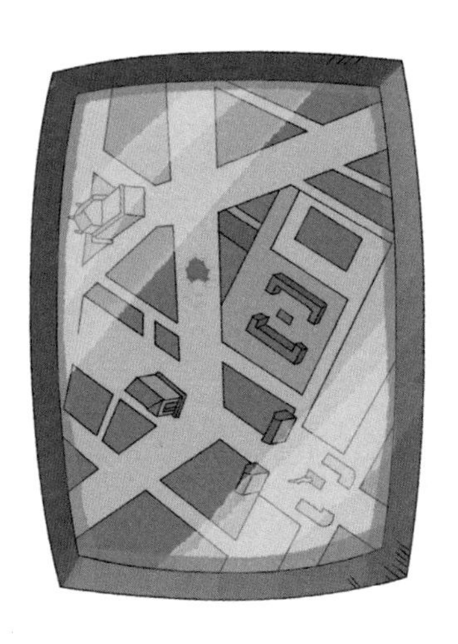

– Il essaie de faire perdre sa trace en se CONFONDANT parmi les touristes ! dit Nicky.

– Maintenant, il a tourné à droite… les informa encore Paulina. Il est boulevard de la Madeleine…

– L'**OPÉRA !** haleta Julie, qui peinait à reprendre son *SOUFFLE*.

Colette eut un sursaut :

– C'est vrai, l'Opéra est là-bas ! Exactement comme la **CARTE !**

– Alors, nous avions vu juste ! dit Paméla. Le trésor est caché dans le théâtre !

Le voleur ne croyait pas que les filles auraient réussi à le SUIVRE aussi longtemps. D'ailleurs, il avait cessé de COURIR.

Les TÉA SISTERS arrivèrent juste à temps pour le voir tourner dans une petite rue et se glisser dans le théâtre par une entrée secondaire, fermant la porte derrière lui.

À l'intérieur du **THÉÂTRE DE L'OPÉRA** le voleur les attendait.
Nicky, Violet, Paulina, Colette, Paméla et Julie entrèrent sans même réfléchir un instant.

FRAYEUR À L'OPÉRA

Les filles se retrouvèrent dans un entrepôt rempli d'objets de scène.

Il y avait des costumes, des accessoires, de faux meubles, des cordes, des armures, des rideaux…

Dans le noir presque complet qui régnait à l'intérieur, Colette ne vit pas une caisse, juste devant elle, pleine de babioles. Elle posa le pied dedans et roula par terre, renversant des bouts de ferraille dans un grand FRACAS.

BADABOUM BAM CRAAASH !

– Ça va ? demanda Violet.

– NON-ÇA-NE-VA-PAS-ÇA-NE-VA-PAS-DU-TOUT-PAS-DU-TOUT !!! dit Colette tout bas en étouffant un gémissement. Je me suis fait une entorse à la cheville ! Aïe !

BADABOUM BAM CRAAASH!

Pendant ce temps, Paulina tapait avec frénésie sur le clavier de son ordinateur de poche. Le petit point rouge avait disparu de l'écran.

Elles sortirent de la pièce et s'engagèrent dans un couloir humide et bas de plafond, qui menait à un escalier en bois. De là, elles arrivèrent derrière les coulisses de la scène.

La grande salle obscure du théâtre s'ouvrit devant elles comme une énorme caverne noire.

Les filles se serrèrent les unes contre les autres.

– Le voilà ! Il est revenu ! s'exclama Paulina, en montrant le petit point rouge qui clignotait à nouveau sur l'écran.

– Tu arrives à voir où il est ? demanda Colette.

Paulina, en réalité, avait bien du mal à comprendre à quel endroit se trouvait le voleur, car le plan du théâtre, avec tous ses couloirs, ses passages, ses escaliers et ses souterrains, était plutôt compliqué.

– Peut-être... j'ai l'impression que... même, on dirait vraiment... qu'il est en dessous de nous !!! dit Paulina.

CRAAAKKKTTT

Une trappe s'ouvrit sous leurs pieds et elles furent toutes précipitées dans le vide !

– AU SECOOOOOOOOOOOOOOOOOOOOOOOOOOOOOOOOOOOOOOOURS !

AH SECOOOOOOOOOOOOOOOOOOOOOOO

Les trappes sur la scène sont en général reliées à des passerelles mobiles. Celles-ci servent à faire apparaître brusquement en scène un acteur ou un chanteur, resté à attendre sur la passerelle sous le plateau.

Les filles atterrirent toutes ensemble sur un **AMONCELLEMENT** de tissus, de couvertures et de matelas. Quand elles se furent remises de leur *FRAYEUR*, elles eurent du mal à se dégager des chiffons sur lesquels elles étaient tombées.

– Quel vaurien ! s'exclama Colette, irritée. Il nous a attirées dans un piège !

Elles se retrouvaient dans une pièce sombre, qu'elles commencèrent à explorer pour chercher une sortie.

Paméla trouva une porte :

– Elle est fermée à clé. Quelqu'un a une IDÉE pour l'ouvrir ?

Il n'y avait pas que des chiffons dans la pièce, il y avait aussi une grande quantité d'**OUTILS**.

Nicky ramassa une barre de fer :
– Avec cette barre, nous pourrons peut-être **FORCER** la porte. Elle n'a pas l'air très solide.
Ce fut plus facile qu'elles ne le pensaient, grâce aux efforts réunis de Nicky, Violet et Pam pour forcer la serrure.
Elles se retrouvèrent de nouveau dans le couloir humide qu'elles avaient parcouru juste avant.
– Attendez, les arrêta Paulina. Le petit **point rouge** est réapparu sur l'écran ! Dans l'entrepôt, le signal disparaît, mais ici la réception est bonne !
Violet dit :
– Nous devons avancer plus prudemment. Le voleur croit encore que nous sommes **PRISES AU PIÈGE** : à nous, maintenant, de lui en tendre un.
Colette demanda à Paulina :
– Où se trouve-t-il exactement ?
– Il est en train de monter un escalier ! répondit-elle.
Julie s'exclama :

– Oui ! Il y a un escalier qui mène justement au magasin des COSTUMES ! J'y suis déjà allée. Le professeur Le Blanc nous a emmenés le visiter, un jour !

Les six filles grimpèrent l'escalier en colimaçon à pas feutrés, l'une derrière l'autre, avançant dans un silence parfait.

Un bruit les arrêta : TOUMP TOUMP TOUMP...

C'était sans doute les pas du voleur !

Julie, qui était en tête, arriva sur le palier.

Il y avait une porte juste tirée, laissant voir l'intérieur éclairé. Julie ouvrit doucement pour jeter un coup d'œil, en faisant attention à ne pas être vue, et...

– PROFESSEUR LE BLANC ! cria-t-elle, saisie par la SURPRISE.
C'était lui, en effet, le professeur *attentionné*, celui qui l'avait soutenue et encouragée dans les moments les plus difficiles de ces derniers jours !
Dans une PATTE, il tenait le châle de Colette, et dans l'autre, ce qui ressemblait à un costume d'ARLEQUIN. Il était fait d'un grand nombre de pièces de tissus différents cousus ensemble.

Julie resta sur le seuil, PÉTRIFIÉE, ne réussissant pas à y croire.
Le professeur ne tenta même pas de réagir, mais baissa les YEUX, rougissant de HONTE.
– Je suis désolé, Julie ! Je me suis comporté comme un **VAURIEN**. J'ai détruit ton travail !
– Oh nooon ! gémit Colette.
Ce que le professeur Le Blanc tenait dans sa patte n'était pas un costume d'ARLEQUIN, c'était la collection de Julie, découpée en **MORCEAUX**, **ET** recousus ensemble pour reconstituer la carte !
Le Blanc admit :

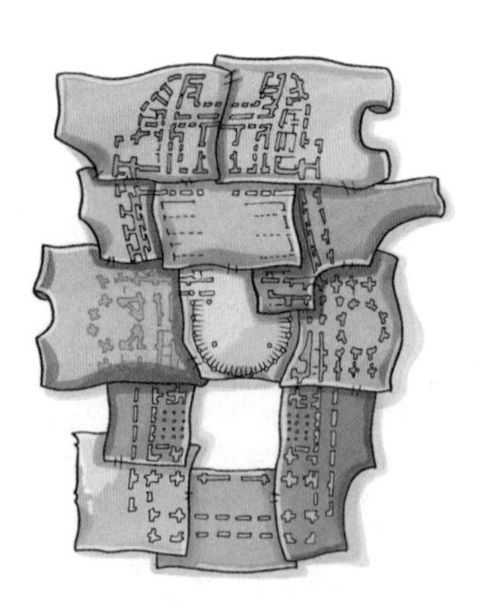

– J'ai tellement honte de moi ! J'ai cherché cette carte pendant des années ; c'était devenu une obsession.
– Mais pourquoi ? demanda Julie d'une voix étranglée. Pourquoi est-elle si **IMPOR-tante**, cette carte ?
Le Blanc garda la tête basse.
Il n'avait plus le COURAGE de la regarder en face :
– Te rappelles-tu mes leçons sur Pierre-Ratin Falbalas ?
Julie expliqua :
– C'était un grand couturier de la fin du siècle dernier.
– Le *plus* **GRAND !** la corrigea Le Blanc. Un véritable génie ! Un génie indépassable de la mode !

PIERRE-RATIN FALBALAS

Le nom de Pierre-Ratin Falbalas sembla ranimer le professeur, qui commença à expliquer, comme s'il était dans une salle de classe devant ses étudiants :
– Cela fait des années que j'étudie ses esquisses, en essayant de percer le secret de ces vêtements si spectaculaires et pourtant *si raffinés !* dit Le Blanc avec enthousiasme.
Falbalas, poursuivit-il avec ferveur, était un génie : il créa les costumes les plus magnifiques pour les divas de l'art lyrique. De plus, sur des métiers à tisser spécialement construits par lui, il créa des tissus à la fois légers et précieux, des modèles uniques dont la beauté devint légendaire !

Puis il continua, avec un geste exaspéré :

– Mais c'est impossible ! Il n'existe plus un seul vêtement de Falbalas. Rien, nulle part !

Les **TÉA SISTERS** le fixaient, déconcertées.

Leur aversion à son égard s'était transformée en CURIOSITÉ.

Paméla demanda :

– Comment se fait-il qu'ils aient été **DÉTRUITS ?**

– Perdus ! répondit Julie.

– Cachés ! la corrigea de nouveau le professeur.

Ils sont cachés *ici*, dans ce théâtre, à quelques pas de nous, et *personne* ne sait où !

– Mais vous, vous le savez, maintenant, *professeur ?* dit Violet, en montrant la carte **bariolée**, faite à partir des vêtements de Julie. Vous l'avez, maintenant, la carte du trésor que vous avez tant cherchée !

Le Blanc se leva de la chaise et étendit sur la table cette étrange « nappe » avec des coutures partout.

Il manquait encore un morceau : le châle de Colette.

– Falbalas a créé les robes de soirée et les costumes de scène les plus EXTRAORDINAIRES qu'on ait jamais faits ! recommença Le Blanc.

Les plus GRANDES cantatrices du monde, ajouta-t-il, s'adressaient à lui. Il ne faisait que des pièces uniques, à partir des matières et des étoffes les plus précieuses, qu'il tissait souvent lui-même ! Il était très jaloux de son travail. Il avait un atelier personnel ici, à l'Opéra. Personne

n'avait le droit d'y entrer et donc tout restait ici, en sûreté.
Paméla intervint :
– Et je parie que Falbalas n'a rien laissé et que tout son travail a **DISPARU** avec lui...
Le Blanc la corrigea :
– En fait, il avait laissé une **CARTE**, qu'il avait lui-même dessinée.
– La carte de Julie ! s'exclama Paulina.
– Une carte qui devait servir à retrouver ses œuvres et après laquelle je cours depuis TANT et TANT d'années !

Puis, le professeur s'adressa directement à Julie :

– Ce jour-là, j'étais là moi aussi, à fouiller parmi les vieux livres. Je venais de repérer ce volume-là, dans lequel se trouvait la **CARTE**. J'allais l'acheter quand tu es arrivée, et c'est toi qui l'as **EMPORTÉE**, sans le savoir ! À cet instant, j'ai vu des années de recherches partir en **FUMÉE !**

Dans le magasin des costumes, le silence tomba.

Tous les yeux étaient fixés sur l'étoffe multicolore, posée sur la table : une carte étrange, faite de pièces différentes, pour un trésor fait de vêtements !

– Alors, qu'attendons-nous ? explosa Paméla, qui ne supportait pas de rester sans rien faire. Cherchons l'atelier SECRET !

Julie attrapa le châle de Colette et l'étala en faisant correspondre le DESSIN avec la partie manquante de la carte.

– Voilà, elle est complète ! dit-elle.

Ils l'OBSERVÈRENT avec attention.

Les doigts du professeur couraient rapidement sur le tissu pour y reconnaître les salles et les couloirs du théâtre.

– Le foyer… le Grand Escalier… la scène… la salle de répétitions… les loges…

– Mais, excusez-moi, pourquoi ne pas essayer de comparer avec le plan actuel ? proposa Paulina,

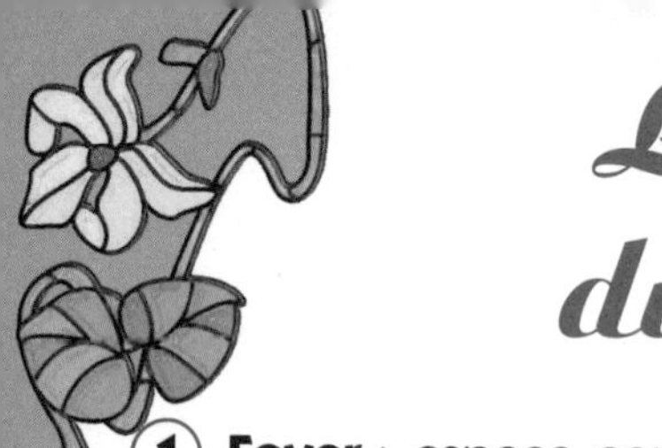

Les mots du théâtre

① **Foyer :** espace contigu au parterre, réservé à la conversation pendant les entractes d'un spectacle.

② **Poulailler :** étage des places les plus élevées et les plus éloignées de la scène, donc les moins chères.

③ **Loges :** espaces ouverts en direction de la salle du théâtre, disposés sur différents étages, faits pour accueillir de petits groupes de spectateurs.

④ **Avant-scène ou rampe :** partie du plateau la plus proche du parterre.

⑤ **Ouverture de scène :** partie du plateau sur laquelle se déroule l'action théâtrale.

⑥ **Fosse d'orchestre :** espace en contrebas de la scène où se place l'orchestre.

⑦ **Trou du souffleur :** petite ouverture au centre de l'avant-scène, où s'installe le souffleur, caché au public par un capot.

⑧ **Parterre :** partie inférieure de la salle du théâtre, réservé au public et situé devant la scène.

en montrant son inséparable ORDINATEUR de poche.

– Ce n'est pas la peine, dit Colette, qui pointa du doigt un signe **ÉTRANGE**. Observez ce détail. Il se confond avec le reste, mais ce n'est ni une porte, ni un placard..

– Et c'est quoi ? demanda Nicky, de l'autre côté de la TABLE, où elle voyait le signe à l'envers.

– On dirait un sigle… dit Colette.

– Un P et un F enlacés ! s'exclama Julie. Les initiales de Pierre-Ratin Falbalas !

LE SECRET DU SPHINX

Le professeur Le Blanc n'avait aucun doute : ces initiales montraient que l'*ancien* atelier de Pierre-Ratin Falbalas était caché là. C'était là que devait être le trésor !

Le professeur connaissait bien le labyrinthe de l'**OPÉRA** et, en peu de temps, le petit groupe arriva dans une longue salle étroite, au plafond très haut. C'était un magasin rempli de vieux décors et de statues en CARTON-PÂTE.

Une lumière poussiéreuse filtrait par une lucarne. Il n'y avait pas de portes, sauf celle par laquelle ils étaient entrés.

– Un cul-de-sac ! dit Julie, déçue.

Soudain, Pam lança un hurlement de soprano :

– EEEEEEEEEEEEEEEEEEEEEEK !

Elle avait vu une petite araignée par terre.

Le **HURLEMENT** de Paméla fit sursauter de peur tous les autres, araignée comprise.

La petite bête, terrorisée, courut se cacher derrière un GRAND sphinx en carton-pâte rangé contre le mur.

Le professeur Le Blanc vérifia de nouveau la carte :

– Le « trésor », autrement dit la pièce secrète de

Pierre-Ratin Falbalas, devrait être exactement derrière ce sphinx en CARTON-PÂTE !

Le professeur retroussa ses manches pour déplacer la statue. Mais on aurait dit qu'elle était clouée au sol.

Nicky, Paulina, et enfin Violet puis Julie vinrent au SECOURS de Le Blanc. Qui sait depuis combien d'années ce sphinx n'avait pas été déplacé ? Paméla et Colette échangèrent un regard, avant de joindre leurs forces à celles des autres.

Lentement, la statue bougea.

La petite ARAIGNÉE, avec tous ses collègues, disparut dans une fente entre le mur et le plancher. Un trait de lumière filtrait dessous.

C'était un mur en BOIS, cachant une porte fermée à la serrure toute rouillée.

Une dernière POUSSÉE ÉNERGIQUE et la porte s'ouvrit enfin.
Devant eux, derrière un grand rideau de toiles d'araignée, s'ouvrait une vaste salle, surmontée d'une grande mezzanine. Au milieu de la pièce se trouvait une longue table, où des patrons de couture étaient dépliés, comme attendant d'être utilisés. Sur le côté, un grand métier à tisser et, partout autour, des mannequins de différentes tailles.
La poussière recouvrait tout.
C'était donc là le trésor si longtemps cherché par le professeur Le Blanc ?

LE TRÉSOR

Le professeur Le Blanc n'en croyait pas ses yeux : devant lui s'étalait le trésor après lequel il COURAIT depuis si longtemps.
Oui, c'était ça : ce costume, c'était celui de « *Semiramide* » ! Tous les livres d'HISTOIRE DE LA MODE en parlaient ! « Léger comme l'aile d'un papillon, étincelant de soie et de fils d'or tissés ensemble » : ainsi le décrivaient les journaux de l'époque.
Le Blanc tendit la patte pour le débarrasser de la poussière...
Mais la dentelle impalpable s'effrita sous ses doigts.
– NOOOOOOOOOOOOOOOOOOOOOOOOON !

SEMIRAMIDE

« *Semiramide* » est un opéra historique en deux actes. La musique est du compositeur italien Gioacchino Rossini, sur un livret de Gaetano Rossi, tiré de « Sémiramis », une tragédie de Voltaire. Elle raconte une histoire tragique de succession sur le trône de Babylone, dont Sémiramis est la reine.
Rossini commença à composer « *Semiramide* » pour le théâtre de la Fenice, à Venise, où l'opéra fut représenté pour la première fois le 3 février 1823.

Son cri résonna dans toute la pièce.
Plus d'un siècle d'abandon avait jauni les tissus, fané les couleurs, rongé la trame des étoffes, ôté tout leur éclat à ces costumes somptueux.
Quelle déception !
Julie aussi, troublée, se promenait entre les mannequins. Elle fut bientôt devant le métier à tisser sur lequel Falbalas avait créé

ses tissus les plus précieux. Le MATÉRIEL était encore en bon état.
Les TÉA SISTERS regardaient autour d'elles avec découragement. Leur pensée commune pouvait se résumer par ces deux mots : quelle déception !
Paméla n'arrivait pas à y croire.
Elle grimpa en COURANT l'escalier qui menait à la mezzanine. Il y avait là-haut des armoires fermées, qui contenaient SÛREMENT les objets les plus précieux.

Elle ouvrit la première et… :

– EEEEEEEEEEH ! fit-elle, enveloppée d'un nuage de mites.

Les armoires étaient *envahies* par les mites !

– Tout est perdu ! Perdu ! s'exclama le professeur, découragé.

À ces mots, Colette perdit patience.

– Non, mais je **rêve** ! dit-elle, un doigt tendu vers Le Blanc. Les costumes de Falbalas ont peut-être été mangés par les mites, mais les vêtements de Julie, c'est vous qui les avez **DÉCOUPÉS** !

Le professeur chancela sous le poids de cette accusation.

Ce fut Julie qui prit sa défense :

– Peu importe ! Avoir retrouvé l'atelier de Falbalas, c'est très **important** pour toute l'*histoire de la mode*. Et puis, le métier à tisser est encore intact !

Colette, cependant, ne lâchait pas prise :

– Ce n'est pas suffisant ! Ton professeur est un voleur ! Il a détruit tes chances pour le défilé !

– Mais Coco… tenta de répliquer Julie.

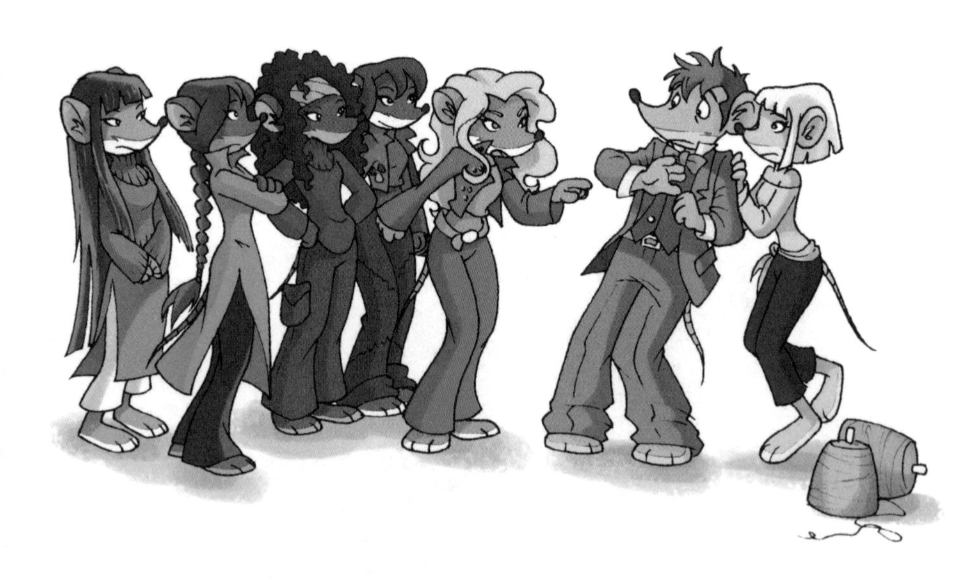

Le Blanc lui prit la PATTE.
– Ton amie a raison. Je me suis très mal comporté. Et ma plus grande faute, c'est d'avoir trahi ta confiance, Julie !
Colette acquiesça :
– Enfin des paroles sensées ! Mais je ne crois pas que la police s'intéresse à cette histoire de confiance TRAHIE ! Les excuses, c'est bien. Mais ce n'est pas avec ça que Julie pourra participer au défilé !
– Alors, quoi ? explosa Paméla, qui n'arrêtait pas de se secouer les cheveux, de peur d'y avoir des mites.
– Il reste très peu de temps, mais je suis sûre que le professeur est un excellent COUTURIER, et même très rapide ! s'exclama Colette avec un petit SOURIRE.
Et elle poursuivit :
– Par conséquent… reprenons la « CHASSE AU TRÉSOR » ! Vous êtes d'accord, Professeur ? Vous n'avez pas envie de vous rendre encore utile ?

Le professeur Le Blanc comprit aussitôt ce que voulait dire Colette et acquiesça en souriant.

Il allait enfin pouvoir s'acquitter de sa dette envers Julie, pour tous les ennuis qu'il lui avait causés.

À L'OMBRE DE LA TOUR EIFFEL

Ainsi arriva le soir du défilé.

L'air était doux, le ciel serein, mais l'atmosphère était **ÉLECTRIQUE !**

La vaste esplanade au pied de la TOUR EIFFEL avait été transformée en salon de mode exceptionnel : projecteurs, FLEURS, partout, escaliers, fauteuils pour les invités, espace réservé pour les VIP. Des Journalistes et des photographes des plus importantes revues de

mode étaient arrivés du monde entier, pour découvrir les « stylistes de demain ».
Sur le programme figurait encore le nom de Julie Chiffon, à côté du titre de sa collection : « **CHASSE AU TRÉSOR** ».
Mais personne n'avait encore vu Julie.
L'un après l'autre, les nouveaux diplômés présentèrent leurs créations.
À qui irait le premier prix ?
Les tenues en papier des jumelles Wei et Mei avaient soulevé une grande curiosité.
Mais les « vêtements-construction » de Fernand avaient reçu les plus longs applaudissements.
Sur l'estrade défilaient maintenant les « robots » étincelants de Ramon Paella quand, dans les coulisses, on entendit un certain remue-ménage.
Une camionnette venait d'arriver à toute vitesse. En descendirent le professeur Le Blanc et…
– Julie ? ! s'exclama, incrédule, Nana Le Sucre, quand elle la vit descendre en même temps que leur professeur.

Julie avait un petit museau TOUT PÂLE et tendu, comme si elle n'avait pas fermé l'OEIL depuis longtemps.

Ses camarades de cours l'entourèrent en la submergeant de questions.

– Ils ont retrouvé le voleur ?

– Tu vas défiler toi aussi, ce soir ?

– Tu as récupéré tes VÊTEMENTS ?

Julie répondit :

– Pas exactement… Mais je suis quand même prête à défiler moi aussi ce soir !

Et elle lança un regard du coin de l'œil au professeur Le Blanc, qui baissa les yeux.

Les élèves de sa promotion se serrèrent autour d'elle et l'embrassèrent.

– Bravo Julie !

– C'est bien !

– Quel courage !

Ils n'avaient pas terminé leurs encouragements que Julie fut appelée sur l'estrade.

Tous les projecteurs étaient braqués sur elle.

Très émue, Julie se présenta derrière le micro :
– Ma collection s'intitule « Chasse au trésor ».
Alors le défilé commença, sur un accompagnement musical. Et, surprise, on vit apparaître sur l'estrade… Paméla !
Julie présenta son modèle :
– Paméla porte le modèle « Africa », avec chemisier en soie. L'ensemble est accompagné de bijoux ethniques.
Paméla défila, un peu gauche, mais souriante.
Puis ce fut le tour de Nicky.

DES TISSUS DE TOUTES LES SORTES

Soie : produite par le ver à soie, c'est une fibre textile naturelle extraordinairement légère et brillante.
Taffetas : tissu de soie lisse, brillant et raide, idéal pour la réalisation de robes de soirée.
Chiffon : tissu de soie ou de viscose, très transparent et léger. La viscose est une fibre de cellulose extraite du bois.
Satin : tissu lisse, souple et lumineux. Son nom vient de la ville chinoise de Zaytoun (l'actuelle Canton), où le satin a été produit pour la première fois. Il est arrivé en Europe au Moyen Âge.

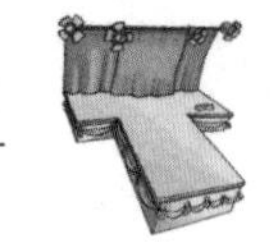

Julie annonça au micro :

– Nicky porte le modèle « AUSTRALIA », avec petit haut et gants de *chiffon*. Quant à Paulina…

Et Paulina, à ce moment-là, sortit à son tour des coulisses.

– … elle porte le modèle « AMÉRIQUE DU SUD », avec un grand col en taffetas !

Ce fut ensuite le tour de Violet.

– Violet porte le modèle « ASIA », tout en soie, avec ceinture de strass nouée à la taille. Et pour finir, le modèle « EUROPA », intitulé aussi « **Une nuit à Paris** »…

C'est alors qu'apparut Colette, entièrement vêtue de rose. *Elle était splendide* !

Le public applaudit à s'en faire mal aux pattes. Tous se mirent même debout !

Le professeur Le Blanc, qui était assis au premier rang, fit un grand sourire à Julie.

Bien sûr, il avait commis une erreur, mais c'était grâce à son aide que Julie avait pu coudre de nouveaux vêtements ! Et encore plus beaux que les premiers !

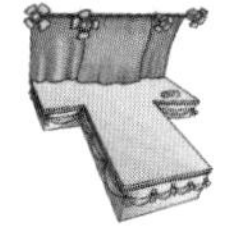

Julie avait utilisé les esquisses de la collection originale, désormais détruite. Mais les tissus et les dessins imprimés étaient différents.

Chaque vêtement représentait la carte géographique du continent d'où venait chaque Téa Sister.

Julie termina sa présentation au public :

– Cette collection, je l'ai appelée **« CHASSE AU TRÉSOR »** parce qu'elle rassemble le trésor le plus précieux de tous : l'*amitié* ! Ces cinq jeunes filles proviennent de cinq continents différents et elles s'aiment comme des sœurs ! L'amitié est le plus précieux des trésors, parce qu'il est capable de **RÉUNIR** des gens dans le **MONDE** entier !

Le public tout entier se leva alors pour applaudir.

Et les camarades de cours de Julie se levèrent eux aussi, remués par tant d'émotion et de beauté.

Julie courut embrasser ses amies.

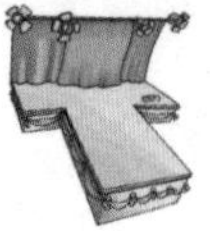

– Merci Colette !! Merci, les filles ! Sans vous, je ne sais pas ce que j'aurais fait !

Colette essuya une LARME et serra son amie contre elle.

Le professeur Le Blanc s'approcha de Julie, embarrassé :

– Pourras-tu jamais me pardonner ?

Julie sourit et serra les PATTES du professeur :

– Tout est oublié ! Et puis, regardez : ma collection est encore plus belle maintenant. Parce qu'elle a été faite avec le *cœur* !

Cela ne faisait aucun doute : Julie était la vraie triomphatrice de la soirée !

Et c'était, chères lectrices, l'aventure à Paris de nos amies les... **TÉA SISTERS !**

Paris, des marais à la Ville Lumière*

Paris est né au milieu de la Seine, protégé par le fleuve et par les marais. Son premier nom fut Lutèce, qui veut dire justement « marais ».

*Si Paris est surnommé la « Ville Lumière », c'est parce que c'est une ville depuis toujours étincelante, magique et merveilleuse, mais aussi parce qu'elle fut la première en Europe à s'équiper d'un système d'éclairage public, qui l'a rendue plus lumineuse encore.

Deux grandes sœurs

Qu'ont en commun la Statue de la Liberté, symbole de la ville de New York, et la Tour Eiffel, symbole de Paris ? On pourrait les appeler des sœurs ! Toutes les deux, en effet, ont été réalisées par l'ingénieur français Gustave Eiffel.

La Statue de la Liberté

La sculpture de la Statue de la Liberté a été réalisée par le sculpteur **Frédéric-Auguste Bartholdi**, tandis que la structure métallique interne qui la soutient est l'œuvre de **Gustave Eiffel**. *Lady Liberty*, comme les Américains appellent la statue, atteint 93 mètres à la pointe extrême de la torche. Elle se dresse au milieu de la baie de New York et elle est exposée aux vents impétueux du nord. Pour réussir à la faire tenir debout, il fallait vraiment l'œuvre d'un grand ingénieur !

Vous avez facilement le mal de mer ? Ne montez pas sur la Tour Eiffel quand le vent souffle ! Les jours de grand vent, en effet, on peut constater au sommet des oscillations qui vont jusqu'à 9 cm !

La Tour Eiffel

Quand elle fut construite, nombreux furent ceux qui la jugèrent horrible et demandèrent qu'on l'abatte. Aujourd'hui, elle est le symbole de Paris et cinq millions et demi de touristes environ la visitent chaque année. Elle fut construite en moins de deux ans, de 1887 à 1889, pour l'Exposition Universelle, grande foire mondiale destinée cette année-là à célébrer le centenaire de la révolution française.
Avec ses 304 mètres de hauteur, elle est restée pendant 40 ans la plus haute construction du monde. Elle fut détrônée en 1929 par le Chrysler Building de New York, un gratte-ciel qui culmine à 319 mètres.

La hauteur de la Tour Eiffel peut augmenter d'environ 15 cm pendant les chaleurs estivales, à cause de la dilatation du métal.

Les chiffres de la Tour qui tournent la tête

Chaque année, la Tour Eiffel consomme au moins 7 500 000 kilowatts-heure d'électricité et 65 000 mètres cubes d'eau.
Les ascenseurs qui montent et descendent parcourent environ 100 000 kilomètres, tandis qu'on utilise 2 tonnes de papier pour imprimer les billets d'entrée !

Paris, capitale

1 CHARLES FRÉDÉRIC WORTH

L'origine de la haute couture française semble remonter à **Charles Frédéric Worth**, un Anglais qui imposa son style à Paris dans les années de la fin du XIXe siècle. Il fut le couturier de l'impératrice Eugénie, l'épouse de Napoléon III, et de l'impératrice Elisabeth d'Autriche.

Avant lui, les couturiers se rendaient chez leurs clients, mais **Worth** fut le premier à les faire venir dans sa boutique. Il y organisait des « présentations » de vêtements, portés par des mannequins. Ce n'étaient cependant pas des mannequins comme nous les connaissons aujourd'hui, mais des femmes sélectionnées selon les mesures des clientes. Worth les appelait d'ailleurs des « sosies » !

2 COCO CHANEL

Gabrielle Chanel, surnommée « Coco », naquit à Saumur en 1883. Elle passa son enfance dans un orphelinat, mais devint ensuite une des créatrices de mode les plus acclamées de tous temps dans le monde entier !

Dans les années 30, Coco inventa le « tailleur », constitué d'une

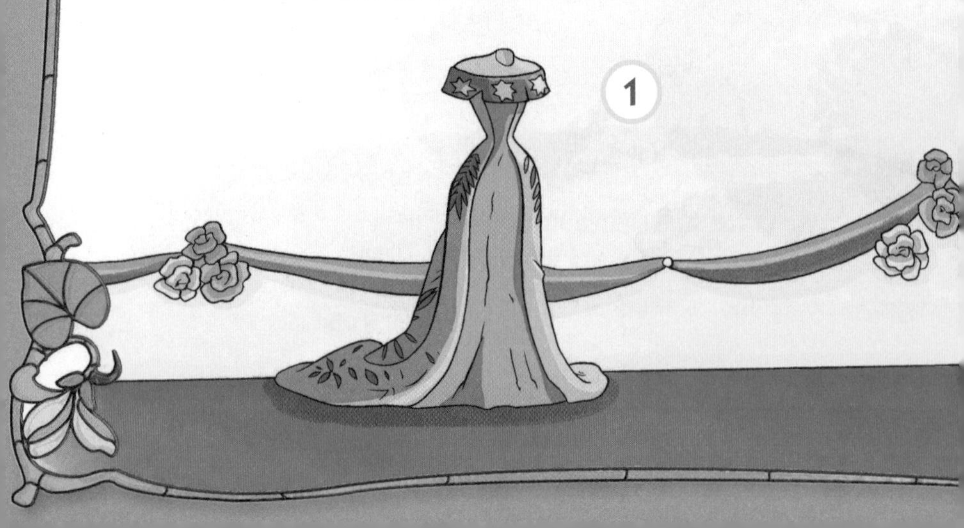

de la mode

3 CHRISTIAN DIOR

Christian Dior, né à Granville en 1905, est sans doute un des couturiers les plus célèbres du xxe siècle.
La « Ligne Corolle » ou « *New Look* », comme l'appelèrent les journalistes, fut sa première collection. Elle était caractérisée par la mise en valeur d'une taille serrée et de longues jupes somptueuses en forme de corolle.
Grâce à Christian Dior, Paris, qui avait perdu son importance durant la Seconde Guerre mondiale, retrouva son titre de « capitale de la mode ».
En contraste avec Coco Chanel, Dior instaura un modèle de femme extrêmement féminin, privilégiant le luxe plutôt que le confort.

veste et d'une jupe, ou un pantalon, jusqu'alors uniquement réservé aux hommes. **Chanel** remplaça la garde-robe peu pratique des femmes de l'époque par une mode large et confortable. Le style de vie des femmes, en effet, commençait à changer : elles entraient dans le monde du travail et dans celui du sport.

La ville des jardins, des bois, des forêts

Le Lac Daumesnil dans le Bois de Vincennes

Le territoire de l'Île-de-France, la région qui entoure Paris, est constitué pour plus d'un quart d'espaces verts. Les Parisiens les appellent cependant simplement des parcs. Ils se répartissent en « jardins », quand ils sont de taille moyenne, en « bois », quand ils sont très étendus, et même en « forêts » dans les zones situées à l'extérieur de la ville.

Le **Bois de Vincennes** abrite l'un des plus importants zoos d'Europe ainsi qu'un grand aquarium.

Jardin du Luxembourg

Le **Jardin du Luxembourg** est le plus grand de la rive gauche de Paris. On y trouve des espaces réservés aux enfants, qui peuvent également y faire des promenades en poney.

JOURNAL

à dix pattes !

Voilà mon « nid ». J'ai fait moi-même toute la décoration... avec quelques petits conseils d'un ami architecte. Quand nous sommes arrivées ici, Julie et moi, l'appartement était un vrai désastre : c'était vieux, les murs s'écaillaient et ça sentait le moisi ! Nous avions envie de nous sauver à toutes jambes. Mais quand je suis montée ici et que je me suis penchée à la fenêtre, je me suis dit : « Coco, voilà ta chambre ! »

1) Dans la maison de mes parents aussi, en Provence, j'ai un lit à baldaquin ! Pour moi, ce sont des lits magiques : une petite chambre à l'intérieur de l'autre ! Et je me sens bien protégée. - 2) Quel problème, pour trouver des rideaux de la teinte qu'il fallait ! J'ai fait tout Paris pour les dénicher. - 3) Qui a dit que je choisissais toujours et uniquement du rose ? - 4) Mon poste de travail préféré : la table de maquillage ! - 5) Je n'ai apporté ici que quelques poupées, celles avec lesquelles je jouais enfant. - 6) Joli, n'est-ce pas ? C'est un peintre de rue qui l'a fait pour moi. J'ai envie de lui demander un portrait de groupe, toutes les Téa Sisters et moi !
Vous vous demandez où je range mes vêtements, puisqu'il n'y a pas d'armoire dans cette chambre ? ! Regardez bien les grands miroirs du mur et…

La garde-robe de Coco

Et voilà ! Le mystère est résolu !

Une pièce-penderie cachée derrière un miroir, c'est la solution idéale quand on manque de place, mais qu'on aime s'habiller toujours à la dernière mode !
Avec des penderies et des tiroirs faits sur mesure, tu auras toute la place que tu veux pour bien ranger tes vêtements et tous tes accessoires !
Parole de Colette !

Un monde de poupées

Violet nous a fait une tête « comme ça », avec tous les musées qu'elle voulait visiter ! Je préfère mille fois faire les boutiques. Mais il y a un musée que j'aime vraiment beaucoup et où je vais toujours volontiers : le Musée de la Poupée !

Dès 1865, à Paris, justement, un certain M. Jumeau essaya de fabriquer les premières poupées qui parlent. Mais c'est seulement en 1889 que le grand Thomas Edison (oui, l'inventeur de l'ampoule électrique !) inséra un phonographe à l'intérieur d'une poupée, qui put ainsi réciter des comptines pour enfants et dire de petites phrases.

Dans l'Antiquité, les Égyptiens, les Étrusques et les Romains jouaient eux aussi à la poupée. Les archéologues ont retrouvé des poupées en bois ou en terre cuite, peintes de couleurs vives et souvent parées de bijoux.

Savais-tu qu'au XVIIIe siècle les couturières envoyaient dans les cours européennes des poupées habillées avec une grande élégance, afin de répandre partout les tendances de la mode de l'époque ? On appelait ces poupées des « Pandore ».

UN PEU DE BRICOLAGE !

Tu aimes les poupées ? Si tu veux, je vais t'apprendre à en faire une très simple, mais mignonne comme tout ! Avec Maria, ma petite sœur, nous en avons fait plein, toutes avec des vêtements différents.

IL TE FAUT :

– une balle de ping-pong, sur laquelle tu dessineras les yeux et la bouche ;
– un rectangle de tissu de 30 cm de long et 20 cm de large (de préférence un coton fantaisie ou de couleur vive) ;
– un élastique pour cheveux recouvert de tissu, ou décoré de petites fleurs ou d'étoiles ;
– un sachet de millet (ou de très petites pâtes, ou de riz) ;
– du ruban doré ;
– une aiguille et du fil à coudre ;
– de la colle à prise rapide ;
– de la laine pour faire les cheveux.

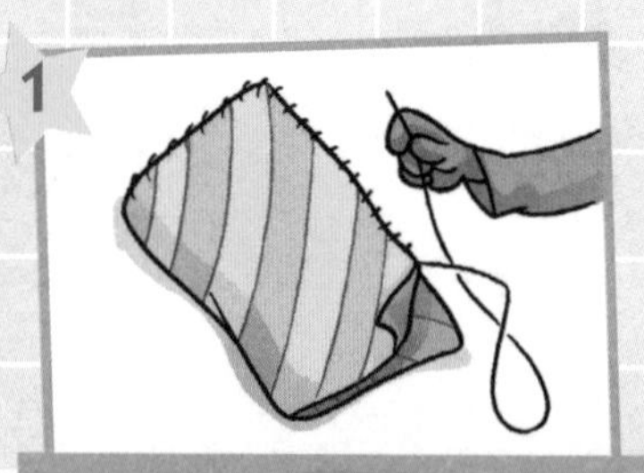

1 Plie en deux le rectangle de tissu et couds-le de chaque côté, de manière à former un petit sac. Tu ne dois laisser ouvert qu'un petit trou.

2 Verse le millet dans le trou. Remplis le petit sac de tissu jusqu'à la moitié seulement.

LA POUPÉE TENDRESSE

3

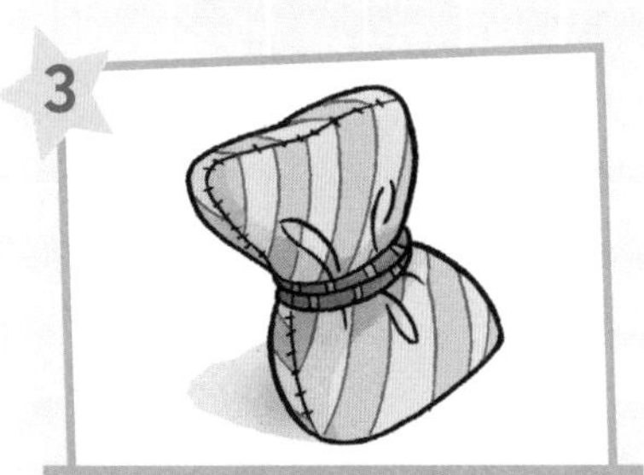

Finis de coudre l'ouverture, pour que le millet ne s'échappe pas. Puis enfile l'élastique à cheveux autour du petit sac en le plaçant à la moitié (comme dans le dessin).

4

Avec le ruban doré, fais deux petits nœuds aux angles supérieurs du sac, pour figurer les mains.

5

Colle la boule (sur laquelle tu auras dessiné les yeux et la bouche) sur la partie supérieure du sac, au milieu entre les deux mains.

6

Tresse ensemble des brins de laine (plus la laine est grosse, moins il te faudra de brins) de 10 à 12 cm de long et fixe les deux bouts avec un nœud de ruban doré.

7

Colle la tresse au-dessus de la balle de ping-pong, bien au milieu, pour avoir une tresse de chaque côté.

VOICI QUELQUES IDÉES !

Nous avons été invitées à un bal costumé ! Julie nous a emmenées chez un costumier de théâtre, où nous avons pu choisir parmi des costumes magnifiques.

Chacune de nous interprétera une femme française célèbre. Moi, je serai **Jeanne d'Arc**, la Pucelle qui guida les armées françaises jusqu'à la victoire, au XVe siècle. Paulina sera la belle **marquise de Pompadour**. Paméla sera **Joséphine de Beauharnais**, l'épouse de Napoléon. Violet sera **Mata Hari**, la célèbre espionne des années 20. Colette sera **Brigitte Bardot**, la star des années 60.

Mais qu'ont-elles donc fabriqué, les Téa Sisters ?

Chacune des Téa Sisters porte un élément qui n'appartient pas à son costume, mais à celui d'une de ses amies. Quel méli-mélo ! Aide-les à remettre de l'ordre : trouve quels éléments elles se sont échangés ! La solution se trouve en bas de la page.

Solution :

1. Nicky a mis le collier de Brigitte Bardot, que devrait porter Colette.
2. Paulina porte le boa en autruche de Mata Hari, qui fait partie du costume de Violet.
3. Paméla doit rendre à Nicky le casque de Jeanne d'Arc.
4. Violet porte la perruque de la marquise de Pompadour, qui revient à Paulina.
5. Enfin, Colette a mis les gants de Joséphine de Beauharnais, qui appartiennent à Paméla.

METS DES FLEURS SUR LA TABLE !

Pour toutes les recettes, demande l'aide d'un adulte !

Je ne voulais pas le croire, et pourtant c'est vrai : à Paris, la mode est de manger des fleurs ! Il existe même un jardin dans lequel on cultive des fleurs comestibles.
Quand on m'a présenté, au restaurant « Chez Florian », une assiette de « risotto de roses », j'ai failli partir… et en fait, c'était délicieux ! C'est ainsi que j'ai découvert que les fleurs ne sont pas seulement belles, mais aussi savoureuses et qu'elles donnent aux plats un parfum spécial !
Mais attention aux fleurs que tu choisis ! Celles qu'on achète sont souvent traitées avec des pesticides ! Et puis, toutes les fleurs ne sont pas comestibles : le laurier-rose, l'azalée, le bouton d'or, par exemple, sont toxiques !

RISOTTO AUX PÂQUERETTES

INGRÉDIENTS (pour quatre personnes) :
350 g de riz rond, un petit oignon, 1 litre de bouillon, 50 g de beurre, 50 g de parmesan ou de fromage râpé, une douzaine de pâquerettes bien lavées, du poivre rose moulu.

PRÉPARATION : Hache l'oignon et fais-le revenir dans la moitié du beurre. Ajoute le riz, fais-le blondir. Verse le bouillon très chaud. Laisse cuire à feu moyen 12 minutes, en remuant de temps en temps. Ajoute le reste du beurre, le fromage râpé et les pétales des pâquerettes bien lavés à l'eau fraîche. Mélange bien, verse le riz dans les assiettes, saupoudre de poivre rose et place sur le bord de l'assiette quelques fleurs de pâquerette comme garniture.

OMELETTE SUCRÉE À LA ROSE

INGRÉDIENTS (pour quatre personnes) :
6 œufs, 2 cuillerées de sucre, 10 feuilles de menthe,
3 roses, 2 cuillerées d'huile.

PRÉPARATION : Mélange les blancs d'œuf avec le sucre. Lave les pétales de rose et découpe-les en lamelles, puis hache les feuilles de menthe et ajoute le tout aux œufs battus. Fais cuire l'omelette dans une poêle anti-adhérente bien chaude avec un peu d'huile. Décore le plat de pétales de rose et de feuilles de menthe.

SALADE DE FLEURS DES CHAMPS

INGRÉDIENTS : 200 g de salade mélangée (feuille de chêne, mâche, roquette) ou de mesclun ; une petite courgette et une carotte râpées grossièrement ; 3 cuillerées de maïs en grains ; deux poignées de pétales de fleurs des champs (coquelicots, bleuets, marguerites) ; sel, huile, citron et piment de Cayenne.

PRÉPARATION : Lave la salade et essore-la. Dans un saladier, mélange l'huile, le citron, le sel et le piment. Lave bien les fleurs, sèche-les délicatement avec du papier absorbant, puis dispose les pétales sur la salade, que tu remueras avant de servir.

VIOLETTES CRISTALLISÉES

INGRÉDIENTS : fleurs de violette fraîches,
sucre semoule, 1 œuf, 1 pinceau à pâtisserie.

PRÉPARATION : Lave les violettes et sèche-les sur du papier absorbant. Passe du blanc d'œuf au pinceau sur chaque violette et enlève les tiges. Verse du sucre en pluie sur chacune, en veillant que le sucre adhère partout. Pose-les côte à côte sur du papier sulfurisé et laisse sécher une demi-heure environ : elles deviendront dures et prêtes à être mangées. Conserve-les dans un bocal en verre bien fermé. Elles feront une délicieuse décoration pour des gâteaux et des glaces !

LE PAYS DES ROSES

CHÈRE MARIA,

tout près de Paris, il y a un endroit qui semble sortir d'un CONTE DE FÉES : *La Roseraie de L'Haÿ-les-Roses.* C'est un immense jardin de roses, créé à la fin du XIXe siècle par un amateur passionné de ces fleurs, Jules Gravereaux. En se promenant à travers les allées, on peut voir toute l'évolution de la rose, des espèces les plus anciennes aux plus récentes.

IL Y EN A BIEN 3 300 VARIÉTÉS !

Ici, à Paris, il y a vraiment trop de choses à voir ! Même avec toutes les photographies que je t'envoie par courriel, je ne pourrais jamais tout te montrer. Je te promets qu'un jour (le plus tôt possible !) nous irons ensemble, toi et moi, à Paris.

PLEIN-PLEIN-PLEIN DE BISOUS !

Selon des fossiles découverts dans le Colorado (États-Unis), la première rose apparut sur la terre il y a environ 4 millions d'années. On sait que les Sumériens, 5 000 ans avant nous, la cultivaient déjà.

LA ROSERAIE DE L'HAŸ-LES-ROSES

PAULINA

Cléopâtre, la célèbre reine d'Égypte, portait toujours à son cou un petit sachet de pétales de roses parfumées. Les meubles et les lits de son palais étaient recouverts de pétales. Elle-même prenait son bain sous une couche de pétales de roses haute de 50 cm.

L'empereur romain Héliogabale faisait tomber sur ses invités, par des ouvertures cachées, une telle pluie de pétales de roses qu'ils en étaient submergés !

En 1799, Joséphine de Beauharnais, la première femme de Napoléon, acheta le château de la Malmaison. Elle y collectionna toutes les plantes qu'on pouvait répertorier à l'époque, et en particulier les roses. Aidée des meilleurs jardiniers de son temps, elle créa une roseraie splendide qui abritait des centaines de variétés, venues des régions les plus lointaines du globe.

Malgré la guerre entre la France et l'Angleterre, les navires qui transportaient des plantes pour le jardin de la Malmaison avaient un laissez-passer spécial qui leur permettait de naviguer en toute sécurité.

Cette magnifique allée de la Roseraie est appelée « *Allée de la Malmaison* », parce qu'on y a reproduit toute la collection de roses que l'impératrice Joséphine avait fait cultiver dans son célèbre château.

ALLÉE DE LA MALMAISON

UN ARC-EN-CIEL POUR MOI TOUTE SEULE !

SCIENCE ET JEU

Quel arc-en-ciel magnifique nous avons trouvé à notre arrivée à Paris ! Une vision pareille, je ne l'oublierai jamais. J'adore les arcs-en-ciel. Je vais te révéler un secret : il m'arrive de recréer un arc-en-ciel pour moi, dans ma chambre ! Je t'explique ici comment faire.

IL TE FAUT :
- une bassine en plastique ;
- une torche électrique ;
- un miroir ;
- un mur blanc.

FAIS-TOI AIDER PAR UN ADULTE !

1 Prends une bassine en plastique, pose-la sur une table très près d'un mur blanc. Remplis-la d'eau jusqu'à la moitié.

2 Prends le miroir et plonge-le à la verticale dans la bassine. Non pas perpendiculaire, mais légèrement incliné, comme sur le dessin.

3 Allume la torche électrique et pointe le faisceau de lumière de manière à le centrer sur toute la surface du miroir, y compris la partie qui est dans l'eau.

4 Maintenant, le plus beau arrive, qui est le plus difficile aussi. Tu dois maintenir la torche dans la position ci-dessus, et en même temps changer l'inclinaison du miroir pour qu'il renvoie la lumière sur le mur blanc. Si tu trouves la bonne inclinaison, tu verras apparaître sur le mur les sept couleurs de l'arc-en-ciel !

ET VOILÀ L'ARC-EN-CIEL !

TEST !

DE QUEL ROSE ES-TU ?

Je sais que je peux avoir l'air monotone. « Celle-là — dit-on de moi —, elle fait une fixation sur le *rose* ! » Mais il n'y a pas qu'un seul rose, en réalité : il y en a un pour chaque occasion, pour chaque *sentiment...* Bref, il y a toujours un rose pour exprimer des humeurs différentes. Essaie à ton tour. Réponds au test ci-dessous et découvre...

de quel rose tu es aujourd'hui !

Si tu devais aller chez le coiffeur aujourd'hui, comment te sentirais-tu ?

A. Émue.
B. Sûre de changer en mieux.
C. Hésitante : j'aimerais changer, mais je ne sais pas comment.
D. Inquiète, car les coiffeurs ne comprennent jamais ce que je veux.

Si tu avais aujourd'hui à faire un devoir en classe, pour lequel tu as révisé, comment te sentirais-tu ?

A. Sûre d'avoir une excellente note.
B. La conscience tranquille.
C. J'ai travaillé, mais il peut toujours y avoir une colle !
D. Tous les devoirs me terrorisent.

Si quelqu'un t'invitait aujourd'hui à une fête improvisée, comment réagirais-tu ?

A. J'y cours ! C'est le jour idéal pour faire une fête !
B. J'accepte avec enthousiasme, mais à condition d'avoir le temps de m'habiller comme il faut.
C. Avant d'accepter, je fais un interrogatoire serré pour savoir qui vient à la fête.
D. Je trouve un prétexte pour refuser.

Comment réagirais-tu si aujourd'hui tes amies te demandaient d'aller voir un film que tu as déjà vu ?

A. Je les convaincs de changer de film : personne aujourd'hui ne peut me résister !
B. J'accepte quand même, l'important c'est d'être ensemble.
C. Comme c'est dommage ! Mais nous pouvons nous donner rendez-vous pour nous retrouver après le cinéma.
D. Tant mieux, de toute façon je n'avais pas envie de sortir.

Si aujourd'hui, en sortant de chez toi, tu rencontrais ce garçon qui te plaît tant, que penserais-tu ?

A. Génial ! Aujourd'hui je suis très en forme !
B. Ne serait-ce pas moi qu'il cherche ? !
C. Et moi qui ai passé seulement une heure à choisir comment m'habiller !
D. Zut, juste le jour où j'ai un bouton sur le nez !

Pour découvrir de quelle humeur tu es aujourd'hui, additionne les points de chacune de tes réponses : **1** point pour chaque réponse **A** ; **2** points pour chaque réponse **B** ; **3** points pour chaque réponse **C** ; **4** points pour chaque réponse **D**.
À la page suivante, tu trouveras quel est le rose qui te correspond !

Réponses au test « De quel rose es-tu aujourd'hui ? »

De 5 à 8 points - ROSE FUSCHIA : aujourd'hui, tu te sens séduisante et combative, prête à triompher de tous les imprévus. Attention, quand même, à ne pas trop sortir tes griffes !

De 8 à 10 points - ROSE DRAGÉE : aujourd'hui tu te sens tranquille et disponible. Ton sourire radieux désarmerait n'importe qui.

De 10 à 15 points - ROSE SAUMON : tu es un peu agacée, mais tu ne te laisseras pas gagner par la mauvaise humeur. Qui sait si un imprévu ne viendra pas donner un virage positif à ta journée ?

De 15 à 18 points - ROSE PÂLE : aujourd'hui, tu n'es décidément pas en forme, d'un rose tout pâlichon. Ne fuis pas la compagnie. Avec une vraie amie, tu retrouveras tes couleurs !

De 18 à 20 points - ROSE POUSSIÈRE : Quelle affreuse journée ! Veux-tu un conseil ? Chouchoute-toi ! Écoute de la bonne musique, consacre-toi à ton passe-temps favori et si vraiment rien ne marche… fais-toi un shampoing !

CONFITURE DE ROSES

DEMANDE L'AIDE D'UN ADULTE AVANT DE CUISINER !

Ingrédients : 200 g de pétales de roses ; 500 g de sucre ; 0,60 l d'eau ; le jus d'un demi-citron.

Préparation : Lave soigneusement les pétales de roses. Hache-les manuellement (pas trop fin, car ils perdraient tout leur suc !). Ajoute 200 g de sucre et le jus de citron, et mélange longuement à la main, pour que les pétales donnent tout leur arôme. Fais chauffer l'eau avec le reste du sucre et ajoute la pâte des pétales.

Fais bouillir jusqu'à obtenir un sirop épais.

Ôte la casserole du feu et laisse refroidir 10 minutes.

Verse la confiture dans les bocaux tièdes et très propres. Ferme les bocaux quand la confiture est encore chaude et conserve-les loin de la lumière, dans un endroit sec.

MIAM !

Après le shampoing, un peu de confiture de roses et je me sens renaître !

SPORT

Les chevaux...

Ce que j'ai préféré à Paris, ce sont les hippodromes, ces grands terrains sur lesquels ont lieu les courses de chevaux. Il y en a au moins 8, tous magnifiques !

LES PLUS CÉLÈBRES HIPPODROMES PARISIENS

Dans le Bois de Boulogne se trouve l'hippodrome de *Longchamp*, où se court en octobre le Grand Prix de l'Arc-de-Triomphe, et l'hippodrome d'*Auteuil* célèbre pour ses courses d'obstacles.
Dans le Bois de *Vincennes* il y a le champ de courses où se déroule le Grand Prix d'Amérique, qui est une sorte de « championnat du monde des trotteurs ».

HIPPISME

Le hippisme moderne est né en Angleterre, et s'est ensuite développé en Amérique et en France.
L'activité hippique comporte essentiellement deux spécialités : le TROT et le GALOP, qui se différencient par l'allure que le cheval doit garder pendant la course. Le galop, à son tour, se divise en « plat » et « obstacles ».

… ma passion !

L'équitation est un sport merveilleux, parce qu'il permet d'être en contact avec la nature et d'établir un rapport d'amitié avec le cheval. Mais pour se consacrer à ce sport, il est essentiel d'apprendre auprès d'un moniteur compétent, dans un des nombreux centres équestres agréés. Un bon âge pour commencer à monter est entre 6 et 10 ans.

L'ÉQUIPEMENT POUR LES DÉBUTANTS

Pour qui en est à ses premières armes, inutile de se faire faire des bottes d'équitation et des tenues de cavalier sur mesure. Au contraire, rien ne vaut un vieux pull et un vieux pantalon confortables, car on se salit facilement. Seules trois choses sont importantes dans l'habillement :

Une paire de bottes (y compris des bottes en caoutchouc !)

La bombe ! Un petit casque de protection que tout le monde doit porter, pour ne pas courir de risques inutiles.

Un pantalon bien confortable (de vieux jeans feront l'affaire !)

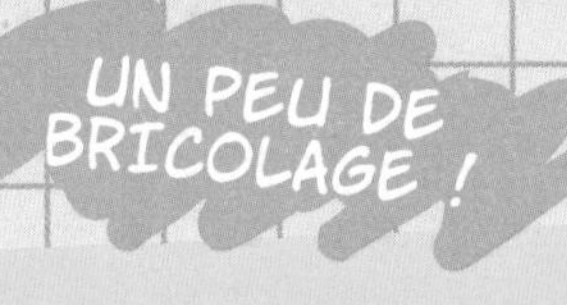

Une touche de rose sur toi !

Tu veux changer de look ? Ajoute une touche de rose à ton habillement ! Une écharpe, un foulard, un collier avec bracelet assorti, ou bien... peins une rose sur tes vêtements !

Ce qu'il te faut :
Un pochoir représentant une rose comme celle que tu vois sur le dessin, et un autre avec des boutons de roses en tige. Des couleurs pour tissu : rose et vert. Un petit pinceau plat. Du ruban adhésif papier. Un jean. Un T-shirt blanc.
Tu trouveras les couleurs pour tissu, les pochoirs et les pinceaux dans des magasins de bricolage et travaux manuels.

Suggestion : fais d'abord un essai sur des feuilles de papier, pour décider comment disposer les roses de la manière que tu préfères.

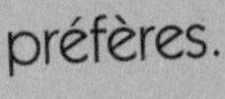

Applique le pochoir sur le tissu du jean, sous une des poches, en le fixant avec du ruban adhésif.

Plonge la pointe plate du pinceau dans la couleur et tapotes-en délicatement la partie évidée du pochoir. Fais attention à mettre de la couleur partout, toujours en tapotant.

Laisse sécher. Enlève le pochoir et applique-le sous l'autre poche, en le retournant de l'autre côté pour obtenir un effet de miroir. Répète les opérations 1 et 2.

4

Applique le pochoir avec les boutons de rose sur le T-shirt, là où tu trouves que l'effet est le plus joli.

Peins le bouton avec la couleur rose, la tige et les feuilles avec la couleur verte.

JEU

CHASSE AU DÉTAIL !

Es-tu une bonne détective ? Découvre le rectangle qui n'a pas sa place dans l'image !

Dans l'image ci-dessous, cinq rectangles représentant certains détails ont été retirés. Sauras-tu les retrouver parmi les six rectangles de la page ci-contre ?

Si tu réussis, alors tu pourras sans doute trouver quel est le rectangle en trop, celui qui n'a pas sa place dans l'image.

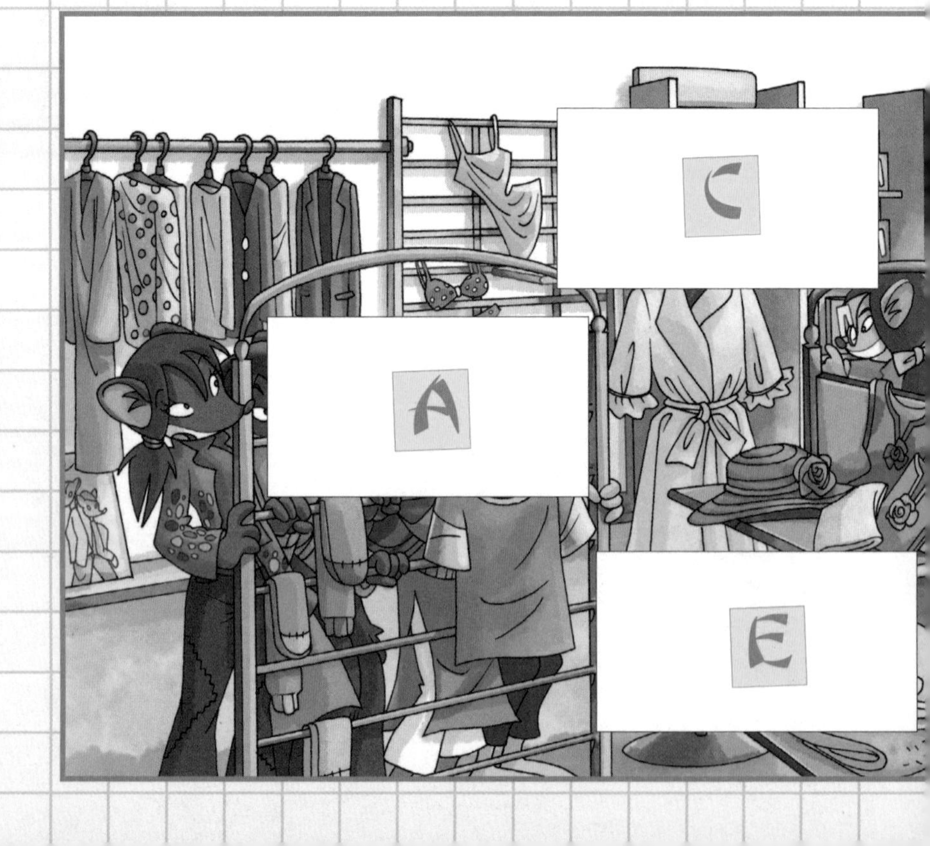

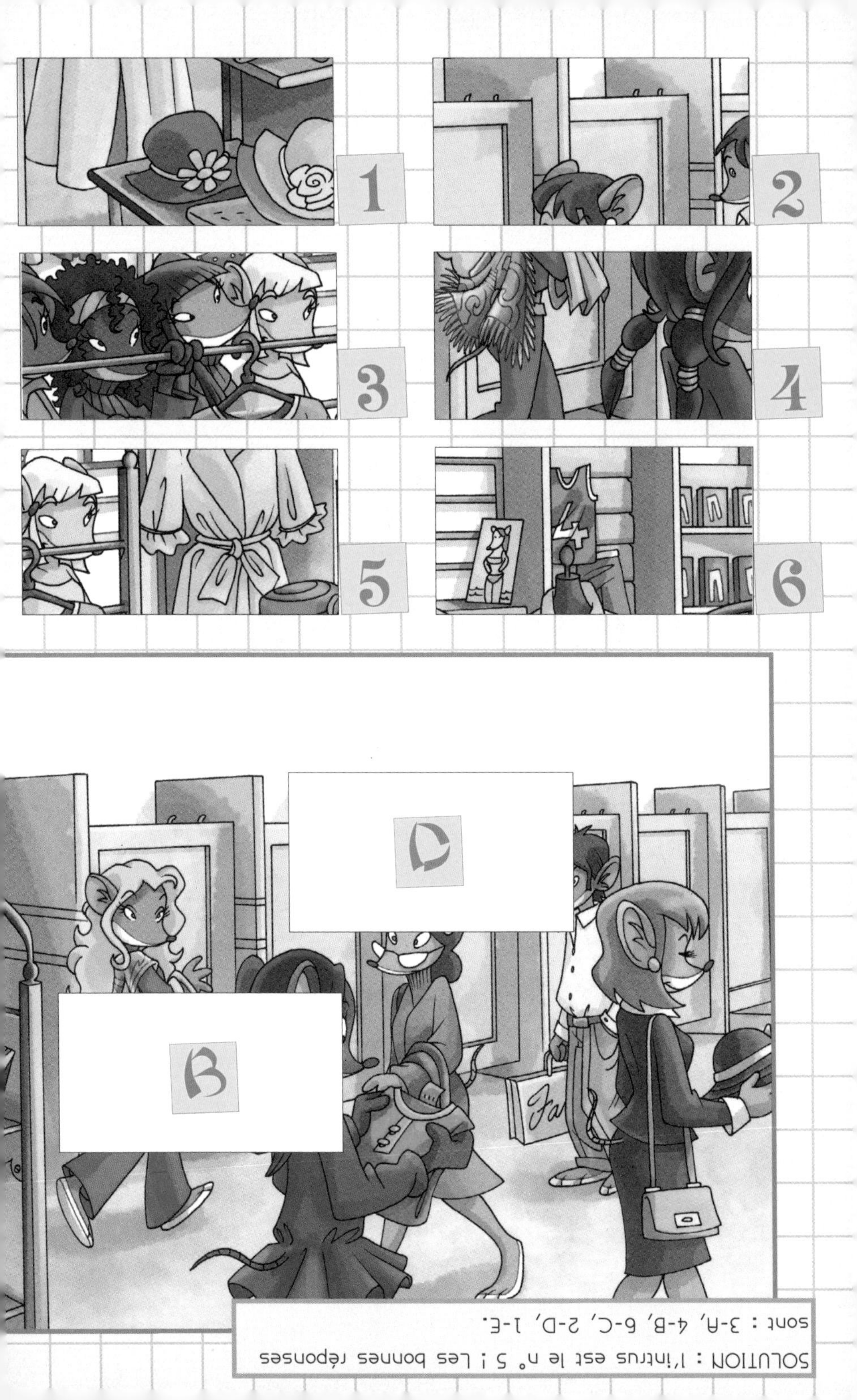

SOLUTION : l'intrus est le n° 5 ! Les bonnes réponses sont : 3-A, 4-B, 6-C, 2-D, 1-E.

ROBOT

Si tu devais choisir parmi ces costumes, lequel conviendrait le mieux à ta personnalité ? Découvre-le grâce à ce test, mais rappelle-toi... ce n'est qu'un jeu !

A) Ce qui te fascine le plus :

- Le brouillard qui enveloppe les choses de mystère
- Une nuit remplie d'étoiles avec une lune romantique
- Un bel orage qui éclate

B) La compétition la plus amusante :

- Un tournoi de play-station
- Un concours de danse
- Une rencontre de karaté

C) Ce que tu crains le plus :

- Ne pas être comprise
- Ne pas être à la mode
- Ne pas pouvoir te contrôler

Poupée OU SUPER-HÉROS ?

D) On tourne un film. Qui aimerais-tu être ?

Le metteur en scène

L'héroïne

La doublure pour les scènes les plus dangereuses

E) Quel moyen de transport préfères-tu ?

L'avion

Une belle voiture à cheval

Une moto puissante

F) La qualité que tu apprécies le plus :

L'intelligence

La beauté

Le courage

G) En classe, tu as eu une mauvaise note à un devoir :

Blessée dans ton orgueil, tu te demandes déjà comment rattraper les choses

Tu te mets à pleurer

Et alors ? En sport, tu es la meilleure !

Compte les symboles à côté de tes réponses.

À la page suivante, tu découvriras si tu es « robot », « poupée » ou « super-héros ».

Solutions du test

ROBOT

A) Majorité de :

L'intelligence est ton point fort. Tu te sens plus à ton aise devant un ordinateur que sur un terrain de sport ou en discothèque. S'il y a un problème à résoudre ou une énigme à déchiffrer, personne n'est meilleur que toi. L'avenir est entre tes mains. Mais fais attention à ne pas t'isoler : les vrais amis sont ceux qui sont faits de chair et de sang !

B) Majorité de :

Tu es une incorrigible romantique. Tu aimes la beauté et tout ce qui respire l'harmonie. Ta douceur et ton charme sont irrésistibles. Mais ne crois pas que la beauté résout toujours tout. Essaie de temps en temps d'utiliser aussi tes autres qualités… tu pourrais avoir des surprises !

Poupée ou super-héros ?

C) Majorité de :

Tu es vraiment super ! Tu te lances dans la vie la tête la première.

Tu n'as jamais assez de temps pour toutes les choses que tu veux faire. Dès qu'il y a un défi à relever, tu fonces.

Qui pourrait te résister ?

Garde tout de même un peu de temps et d'énergie aussi pour tes proches.

Les super-héros ont quelquefois besoin, eux aussi, d'être chouchoutés !

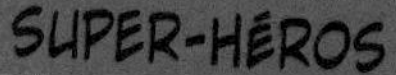

Solutions !

Vous l'avez repéré, vous aussi ? Bien sûr ! L'individu
mystérieux qui suit les Téa Sisters est caché derrière l'arbre !

Boun

Solutions !
Et voilà de nouveau le rat mystérieux avec chapeau et lunettes qui a suivi les Téa Sisters jusque dans les Grands Magasins !

Qu'as-tu le plus aimé dans cette aventure ?

VIVE L'AMITIÉ !

TABLE DES MATIÈRES

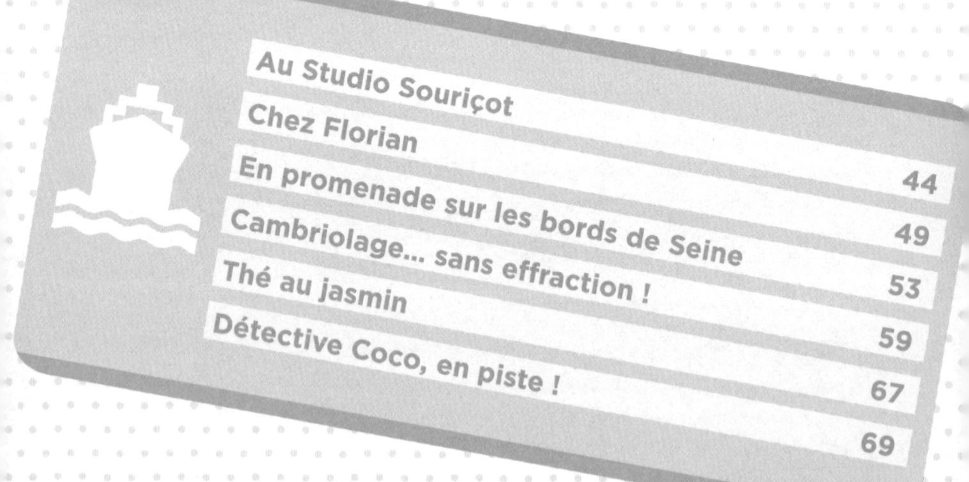

Dans la même collection

- 1 Le Code du dragon
- 2 Le Mystère de la montagne rouge
- 3 La Cité secrète
- 4 Mystère à Paris
- 5 Le Vaisseau fantôme
- 6 New York New York !
- 7 Le Trésor sous la glace
- 8 Destination étoiles
- 9 La Disparue du clan MacMouse
- 10 Le Secret des marionnettes japonaises
- 11 La Piste du scarabée bleu
- 12 L'Émeraude du prince indien
- 13 Vol dans l'Orient-Express
- 14 Menace en coulisses
- 15 Opération Hawaï
- 16 Académie flamenco
- 17 À la recherche du bébé lion
- 18 Le Secret de la tulipe noire
- 19 Une cascade de chocolat
- 20 Les Secrets de l'Olympe

Et aussi...

- 1 Téa Sisters contre Vanilla Girls
- 2 Le Journal intime de Colette
- 3 Vent de panique à Raxford
- 4 Les Reines de la danse
- 5 Un projet top secret !
- 6 Cinq amies pour un spectacle
- 7 Rock à Raxford !
- 8 L'Invitée mystérieuse
- 9 Une lettre d'amour bien mystérieuse
- 10 Une princesse sur la glace
- 11 Deux stars au collège
- 12 Top-modèle pour un jour
- 13 Le Sauvetage des bébés tortues
- 14 Le Concours de poésie
- 15 La Recette de l'amitié
- 16 Un prince incognito
- 17 Le Fantôme de Castel Faucon
- 18 Que la meilleure gagne !
- 19 Un mariage de rêve
- 20 Passion vétérinaire
- 21 Le Concert du cœur
- 22 Objectif mode
- 23 Le Trésor des dauphins bleus
- 24 Leçon de beauté
- 25 Reines de la glisse
- 26 Un amour de cheval

Hors-série
Le Prince de l'Atlantide

Hors-série
Le Secret des fleurs de lotus

Hors-série
Le Secret des fées des nuages

1
2
3
4
5
6
7
8
9
10
11
12
13
14
15
16
17
18
19
20
21
22
L'ÎLE des
BALEINES

L'ÎLE des BALEINES

1. Observatoire astronomique
2. Récifs des Mouettes
3. Plage des Ânons
4. Clinique vétérinaire
5. L'Auberge de Marian
6. Mont Ébouleux
7. Pic du Faucon
8. Plage des Tortues
9. Rivière Bernicle
10. Forêt des Faucons
11. Collège de Raxford
12. Grotte du Vent
13. Club de voile
14. Académie de la mode
15. Rochers du Cormoran
16. Forêt des Rossignols
17. Bibliothèque municipale
18. Port
19. Villa Marée : laboratoire de biologie marine
20. Installations photovoltaïques pour l'énergie solaire
21. Baie des Papillons
22. Rocher du Phare

RAXFORD
1
2
3
4
5
6

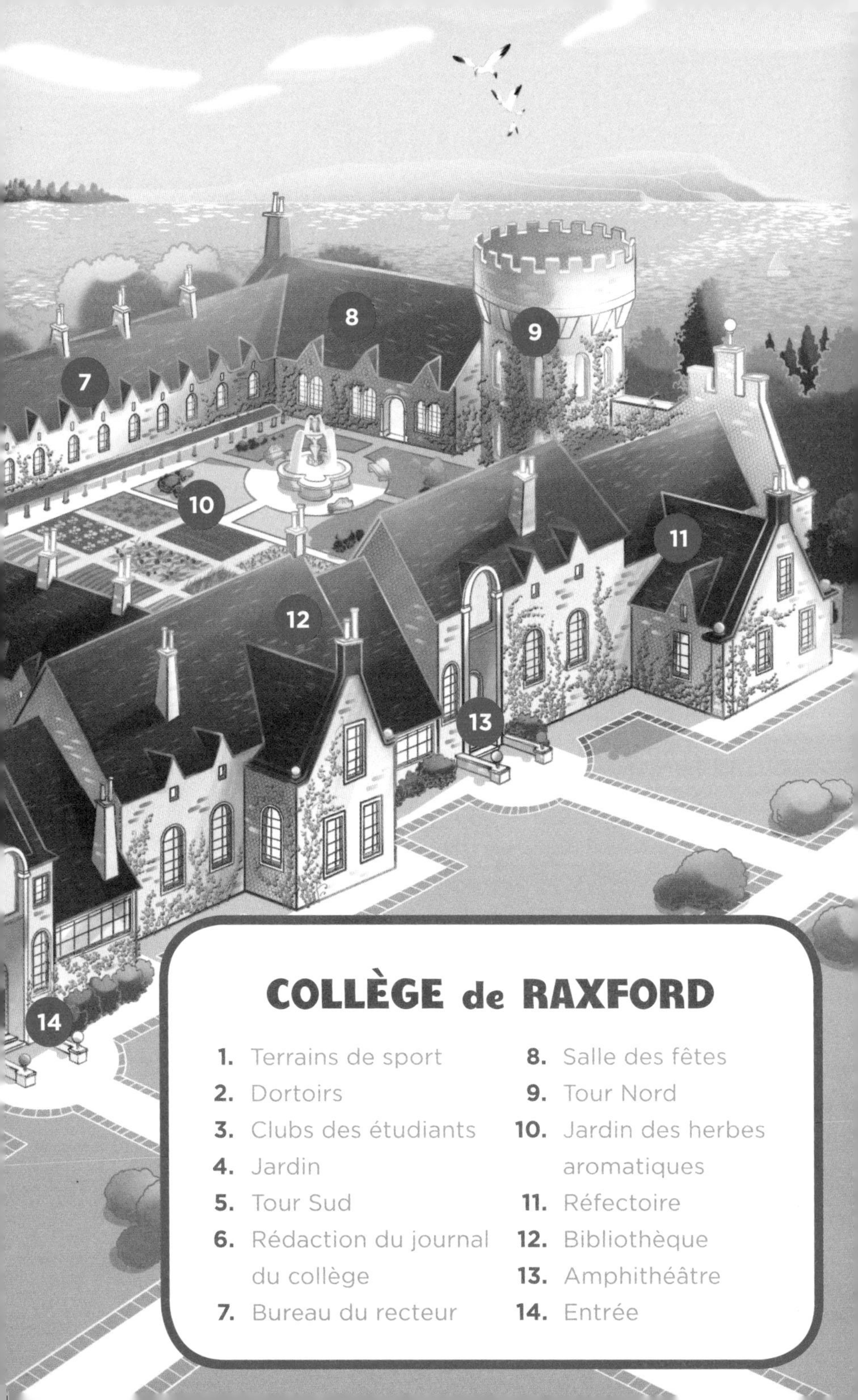
8
9
7
10
11
12
13
14
COLLÈGE de RAXFORD
1. Terrains de sport
2. Dortoirs
3. Clubs des étudiants
4. Jardin
5. Tour Sud
6. Rédaction du journal du collège
7. Bureau du recteur
8. Salle des fêtes
9. Tour Nord
10. Jardin des herbes aromatiques
11. Réfectoire
12. Bibliothèque
13. Amphithéâtre
14. Entrée

Au revoir,
à la prochaine aventure !